TOUJOURS
PARTIR

Anne Tyler

TOUJOURS PARTIR

Roman

TRADUIT DE L'AMÉRICAIN
PAR
ROBERT FOUQUES DUPARC

EDITIONS
LeNORDAIS

LES ÉDITIONS LE NORDAIS (livres) LTÉE
Une filiale de: Les Placements Le Nordais Ltée
100, ave Dresden
Ville Mont-Royal, Qué. H3P 2B6
Tél.: (514) 735-6361

ISBN 2-89222-020-3

1

Notre mariage n'allait pas très fort. J'ai pris la décision de quitter mon mari. Je suis allée à la banque retirer l'argent du voyage. C'était un mercredi, par un après-midi pluvieux de mars. Les rues étaient pratiquement désertes et il n'y avait que quelques clients à la banque. Tous des inconnus pour moi.

A une certaine époque, je connaissais tout le monde à Clarion. Et puis la fabrique de rouge à lèvres s'était ouverte et des étrangers étaient venus s'installer. J'avais passé toute ma vie dans cette ville, trente-cinq ans, toujours. J'adorais rencontrer des visages nouveaux. J'étais bien dans cette banque. Je me sentais anonyme en faisant la queue, entre un étranger vêtu comme un homme d'affaires et une personne, derrière moi, portant un blouson de nylon qui craquait comme des feuilles mortes. Je ne connaissais pas la caissière non plus. Peut-être l'une des petites Benedict, en plus âgée seulement. Elle avait cette voix typique des Benedict qui s'évanouissait et renaissait en plein milieu d'une phrase. « Vous voulez votre argent comment, monsieur ? », a-t-elle demandé à l'homme, devant moi.

« En coupures de cinq et d'un dollar », a-t-il répondu.

Elle a compté les billets de cinq dollars, puis a plongé la main dans un endroit peu commode d'où elle a ramené deux liasses de coupures d'un dollar, entourées d'une bande de papier brun. A ce moment-là, le blouson de nylon s'est agité derrière moi. Quelqu'un m'a poussée, quelqu'un d'autre a trébuché. Il y a eu brusquement un incroyable remue-ménage. Une manche de nylon s'est abattue par-dessus mon épaule. Une main s'est refermée sur les liasses. J'étais extrêmement agacée. Non, mais dites donc, avais-je envie de crier, ne soyez pas si vorace, j'étais là avant vous. Et puis la caissière a émis un coassement. L'homme, devant moi, s'est retourné et a déboutonné son manteau. C'était un de ces hommes grassouillets, dont le visage a bouffi à force de continuellement réprimer sa colère. Il a fouillé sa veste, en a sorti quelque chose de gros qu'il a pointé sur le blouson de nylon. Qui était noir... du moins la manche. La manche s'est retirée (la main tenait l'argent bien serré), et s'est enroulée autour de mon cou. Pendant un instant, je me suis sentie flattée. Je me suis pliée en deux pour éviter l'objet qui s'enfonçait dans mes côtes. J'ai humé l'odeur brumeuse des dollars neufs.

« Que personne ne bouge ou je la descends ! » a dit le blouson de nylon.

C'est de moi qu'il parlait.

Nous sommes sortis à reculons. Ses tennis crissaient sur le dallage de marbre. Je n'ai d'abord vu que quelques visages, puis comme une caméra qui recule, j'en ai vu de plus en plus : tous calmes et tournés vers moi. Mon champ de vision s'est encore élargi. Il a englobé les boiseries sombres de la

Maryland Safety Savings Bank. Nous sommes sortis en titubant.

« Cours ! » m'a-t-il dit.

Il m'a saisie par la manche et nous nous sommes mis à courir sur les trottoirs humides et glissants. Nous avons dépassé un homme et son chien, un des petits Elliott, une femme poussant un caddie. Vous croyez qu'ils auraient levé les yeux ? Non ! J'ai eu envie de m'arrêter brusquement et d'appeler quelqu'un de fort à la rescousse. (J'avais jeté mon dévolu sur la femme au caddie.) Mais comment pouvais-je leur communiquer ma détresse ? J'étais en quarantaine. La typhoïde. Je ne me suis pas arrêtée.

Pendant quelques minutes, je me suis dit que je pourrais peut-être le semer, mais il me tenait trop fort et il restait près de moi. Ses pieds frappaient le sol avec régularité, sans aucune hâte. J'essayais de mon côté de reprendre ma respiration ; mon sac battait contre ma hanche et mes chaussures pompaient l'eau. Au troisième pâté de maisons, j'ai eu l'impression qu'un ressort pointu avait sauté dans ma poitrine. J'ai ralenti.

« Cours !

— Je ne peux plus. »

Nous étions devant l'épicerie Forman, la merveilleuse épicerie Forman avec ses poires enveloppées dans du papier de soie. Je me suis arrêtée. Je me suis tournée vers lui. Déception ! Je m'étais fait une image de lui, j'avais imaginé quelqu'un au visage démoniaque, mais il était tout à fait banal : regard tranquille, cheveux bruns, ébouriffés et gras, grands yeux gris pâle, cernés de noir. Ils arrivaient à hauteur des miens. Il était petit pour un homme. Pas plus grand que moi. Et bien plus jeune. J'ai repris courage.

« Eh bien », lui ai-je dit, hors d'haleine, « je suppose que c'est là que je descends. »

Quelque chose a fait clic sur son pistolet.

Nous avons repris notre course.

Nous avons dévalé Edmonds Street, nous sommes passés devant le vieux Mr Linthicum que sa belle-fille avait installé sur le perron comme d'habitude, qu'il pleuve ou qu'il vente. Mais Mr Linthicum a seulement souri. De toute façon il avait cessé de parler depuis longtemps. Aucun espoir de ce côté-là. Et puis Trapp Street, devant la maison de ma tante, avec sa dentelle de bois qui tombait des avancées du toit. Elle devait certainement être chez elle et regarder *Jours de nos vies*. Brusque tournant à gauche, dans une allée dont j'ignorais jusque-là l'existence ; à gauche encore sous un porche sur pilotis où, enfant, j'avais joué une fois, je crois, avec une fillette du nom de Sis ou de Sissy. Je n'avais pas pensé à elle depuis des années. Puis l'allée de gravillons longeant le chantier de bois... est-ce qu'il a un nom ?... et puis une autre allée. Il pleuvait dans les allées alors que la pluie avait cessé de tomber partout ailleurs. Nous franchissions un espace régi par sa propre météorologie. Je ne ressentais plus rien. J'avais l'impression de courir sans faire de mouvements, comme ça arrive en rêve.

Et puis, il a crié : « Ici ! »

Nous étions à l'arrière d'un bâtiment délabré, bas, fait de bardeaux gondolés, au milieu d'une mer de mauvaises herbes et d'emballages. Pas le genre d'endroit que j'aime particulièrement. « Fais le tour, m'a-t-il ordonné.

— Mais...

— Fais ce que je te dis ! »

J'ai enjambé un pot de moutarde, suffisamment gros pour y mettre un bébé à mariner.

Imaginez ma réaction quand nous sommes arrivés sur le devant de l'immeuble, quand je me suis rendu compte que c'était *Libby's Grill.* Ça n'était que *Libby's.* Qui servait également de rendez-vous local aux joueurs de flippers et de dépôt aux autobus. Je n'étais pas très connue dans cet endroit, c'est vrai. (Je ne pouvais pas me permettre de dîner dehors ; je ne jouais pas au flipper et je ne voyageais jamais.) Mais c'était un endroit public. J'avais toutes les chances de m'y faire reconnaître. J'ai passé la porte aussi droite que possible. J'ai inspecté la pièce. Il n'y avait qu'un étranger qui buvait un café au comptoir. Et je n'avais jamais vu la serveuse de ma vie.

« Quand est-ce que part le bus ? » lui a demandé le braqueur de banques.

« Quel bus ?

— Le prochain. »

Elle a jeté un coup d'œil sur la montre-bracelet accrochée sur sa poitrine avec une épingle à nourrice. « Il devrait être parti depuis cinq minutes, a-t-elle répondu. Mais il est en retard comme d'habitude.

— C'est bien. Moi et elle on voudrait deux billets en bout de rangée.

— Aller et retour ?

— Aller seulement. »

Elle s'est approchée d'un tiroir d'où elle a sorti deux rouleaux de tickets. Elle s'est mise à les oblitérer avec un jeu de tampons, rangés près du percolateur. Les gens ne venaient certainement pas demander tous les jours des billets en bout de rangée — où que ce soit — pour le prochain départ. Elle ne devait pas non plus voir très souvent une

11

femme hirsute, hors d'haleine, à deux doigts de l'attaque d'avoir trop couru, accompagnée par un étranger vêtu de noir (car même son jean était noir, je m'en rends compte maintenant. Même ses chaussures. Tout sauf sa chemise blanche, surprenante et tout à fait déplacée). Vous pourriez croire qu'elle nous a au moins jeté un regard ? Juste un coup d'œil ? Eh bien, non ! Elle a gardé les yeux baissés, le cou enfoncé dans ses doubles mentons. Même lorsqu'elle a accepté l'argent qu'il déposait dans les replis de sa paume. Avant même que nous ayons franchi la moitié de la distance nous séparant de la porte, elle nous avait déjà oubliés. J'en suis sûre !

Et puis le bus s'est mis à ronronner au moment où nous sommes arrivés sur le quai, ne me laissant pas le temps de repérer un visage familier. J'étais plus calme, maintenant. Impossible, de toute façon, qu'il ose me descendre en présence de tous ces gens…, de tous ces gens hagards, abrutis qui peuplaient le bus, à moitié endormis, la bouche ouverte. Une vieille dame parlait toute seule. Un soldat tenait son transistor collé contre son oreille. Dolly Parton chantait *Ma vie ressemble à une boutique de soldes*. Quelque chose miaulait dans le panier, sur les genoux de la vieille dame. Je me suis dit qu'il y avait de l'espoir. Je me suis effondrée sur mon siège et me suis soudain sentie gaie et légère comme si j'attendais quelque chose. Comme si je partais réellement en *voyage*. Puis le braqueur de banques s'est installé à côté de moi. « Si tu te tiens tranquille, tout se passera bien », a-t-il murmuré. (Il était un petit peu hors d'haleine, lui aussi, je m'en suis rendu compte.) Il a tendu la main, paume vers le sol. Elle était sombre et carrée. Que voulait-il ? Je me suis écartée, mais il a seulement pris mon sac. « Je vais en avoir besoin », a-t-il déclaré

12

J'ai ôté la bandoulière de mon épaule et je le lui ai tendu. Il l'a calé entre ses genoux. J'ai regardé ailleurs. *Libby's Grill* était là, de l'autre côté de la vitre. Le conducteur du bus blaguait avec la serveuse, sur le seuil. Un enfant postait une lettre. Et mes enfants ? Allaient-ils se demander où j'étais passée ?

« Il faut que je descende », ai-je dit au braqueur de banques.

Il a cligné des yeux.

« J'ai des enfants. Je n'ai rien préparé pour leur retour de l'école. Il faut que je m'en aille.

— Qu'est-ce que tu attends de moi ? m'a-t-il demandé. Si ça ne tenait qu'à moi, vois-tu, nous serions à vingt kilomètres l'un de l'autre à l'heure qu'il est. Tu crois peut-être que j'avais prévu ça ? Comment pouvais-je savoir qu'un clown allait brandir un pistolet ? » Il a regardé autour de lui et a scruté les visages endormis. « De nos jours, tout le monde en a. Des gens sans la moindre jugeote. Je pourrais être très loin, sain et sauf. Tu pourrais être chez toi, tranquille avec tes gosses, s'il n'était pas intervenu. Des mecs comme ça, on devrait les enfermer.

— Mais nous nous en sommes sortis. Vous vous êtes échappé », lui ai-je dit.

Je me sentais gênée. Je semblais manquer de tact en discutant si ouvertement de la situation. Mais il n'en a pas pris ombrage.

« Attends et tu verras. » C'est tout ce qu'il a dit.

« Attendre quoi ?

— De savoir s'ils peuvent m'identifier. S'ils n'y arrivent pas, je n'aurai plus besoin de toi. Je te laisserai partir. D'accord ? »

Brusquement, il m'a fait un large sourire qu'il n'avait certainement pas l'intention de me faire —

de petites dents égales, très blanches. De longs cils noirs dissimulaient son regard — quel qu'il puisse être. Je ne lui ai pas rendu son sourire.

Le chauffeur est monté — un homme si lourd que nous avons ressenti l'impact quand il s'est affalé sur son siège. Il a fermé la portière, a fait ronfler le moteur. *Libby's Grill* s'est éloigné, comme quelque chose sous l'eau. L'enfant devant la boîte aux lettres a disparu, puis la laverie, la quincaillerie, le terrain vague et, finalement, la pharmacie où, dans la vitrine, un automate levait le bras, l'enduisait de crème Coppertone, le laissait retomber, le levait à nouveau pour refaire le même geste, avec cet éternel sourire blafard, dans sa boîte de verre poussiéreuse.

2

Je suis née ici même, à Clarion. J'ai grandi dans cette grande maison de pierre brune, à clochetons, juste à côté de la station Texaco de Percy. Ma mère était une grosse dame, institutrice. Son nom de jeune fille était Lacey Debney.

Vous remarquez que je parle d'abord de son obésité. On ne pouvait pas rencontrer d'obésité comme la sienne. Ça la définissait, ça irradiait d'elle et remplissait toutes les pièces où elle entrait. C'était une femme de forme champignonnesque aux cheveux blonds, si clairsemés qu'on pouvait voir au travers. Visage rose, pas de cou. Juste une mâchoire qui s'affaissait de plus en plus et se transformait en épaules. Elle portait des ensembles fleuris, sans manches, à longueur d'année — une erreur. Je n'ai jamais vu, chez une adulte, de pieds aussi minuscules que les siens. Elle possédait une incroyable collection de petits souliers, élégants.

Elle avait une trentaine d'années — toujours célibataire et institutrice, vivant dans la maison que lui avait laissée son père, près de la station Texaco — quand un photographe ambulant du nom de Murray Ames est venu prendre des photos de sa classe. Un petit homme timide, voûté et chauve, portant moustache — une vraie souris noire. Qu'a-t-il vu en elle ? Est-il tombé amoureux de ses petits pieds, de ses souliers élégants ? En tout cas, ils se sont mariés. Il est venu s'installer dans la maison de son beau-père décédé et a transformé la bibliothèque en studio photo — une pièce en forme de L, avec une entrée et une baie vitrée donnant sur la rue. Vous pouvez toujours voir son vieil appareil — énorme et difficile à manier — sur son pied, près de la cheminée. Et sa toile de fond peinte, également — un ciel bleu, bleu, bleu et une colonne ionique brisée — devant laquelle tant d'élèves sont venus poser, il y a longtemps de ça.

Elle a dû renoncer à l'enseignement, car il ne voulait pas d'une femme qui travaille. (Il était enclin aux rhumes, à des accès de cafard qui la rendaient folle d'angoisse, qui la faisaient s'agiter autour de lui en se demandant ce qu'elle avait bien pu faire de mal.) Elle restait à la maison, mangeait des caramels au chocolat et confectionnait tout un tas de choses : coussins à épingles, coffrets pour boîtes de Kleenex, poupées faites avec des tampons Modess, pour décorer les dessus de secrétaires. Ça a duré très longtemps. Avec les années, elle s'est mise à grossir et à avoir de plus en plus de difficultés pour se mouvoir. Elle chancelait à chaque pas, se retenait comme un broc d'eau rempli à ras bord. Elle est devenue pâle, s'est mise à souffrir d'indigestion, à avoir la respiration de plus en plus courte et à connaître enfin le changement. Elle était sûre d'avoir une tumeur, mais refusait d'aller voir un docteur. Elle prenait seulement des petites pilules Carter pour le foie — son remède pour tout.

Une nuit, elle s'est réveillée avec d'abominables spasmes abdominaux et la conviction que la tumeur (qu'elle semblait définir comme un gros fruit trop mûr) s'était ouverte en deux et tentait de se frayer un passage, hors d'elle. Le lit était chaud et mouillé. Elle a réveillé son mari. Il a enfilé son pantalon en titubant et l'a conduite à l'hôpital. Une demi-heure plus tard, elle donnait naissance à une petite fille de trois kilos.

Je sais tout ça parce que ma mère me l'a raconté des milliers de fois. J'étais son seul spectateur. Elle avait, d'une certaine façon, grandi à l'écart du reste de la ville — elle n'avait pas un seul ami. Elle avait passé sa vie, seule, derrière ses rideaux. Je crois pourtant que sa famille recevait beaucoup à une certaine époque, donnait des bals et des dîners. (Mon grand-père était dans la politique ; ça avait quelque chose à voir avec le gouverneur.) J'ai encore des photos de ma mère en robe du soir. Elle ressemble à une gigantesque rose trémière qui jouerait à l'hôtesse. C'était juste après la mort de ma grand-mère. Sur toutes les photos, elle sourit et a les mains croisées sur le ventre comme si elle se retenait de joie.

Mon grand-père a été le seul homme qui l'ait totalement approuvée. (Il l'appelait son biscuit ; il aimait ses rotondités ; il était heureux qu'elle n'ait pas seulement la peau sur les os, comme il disait.) Quand il est mort, la vie mondaine de ma mère a commencé à décliner. Seuls les amis intimes de son père ont continué de l'inviter à d'ennuyeux dîners de famille où ils n'avaient pas besoin d'assortir les couples. Et puis, ils sont morts à leur tour, et son frère unique a épousé une femme qui ne l'aimait pas. Les autres instituteurs étaient si jeunes, avaient l'esprit si vif et si fou, qu'ils la remplissaient de désespoir. Elle avait également le sentiment que les enfants se moquaient d'elle, à l'école. Tant qu'ils étaient ses élèves, ils l'adoraient. Oh combien ils aimaient être bercés sur ses genoux quand ils tombaient du portique ! Qu'ils aimaient respirer la rose de velours qu'elle épinglait sur son corsage chaque matin, après avoir déposé une goutte d'Heure bleue sur l'un des pétales. Mais un ou deux ans plus tard, quand ils étaient passés dans les classes supérieures... eh bien... elle avait plusieurs fois remarqué des choses. De petits ricanements, des clins d'œil entendus, des grossièretés qu'elle ne se serait pas abaissée à répéter.

Puis elle a reçu une nouvelle série d'invitations, peu de temps après son mariage, comme si, brusquement, les gens reconnaissaient qu'elle était vivante, après un long malentendu. Mais... qu'est-ce qui n'allait pas exactement ? Elle n'aurait pas su le dire elle-même. Elle n'arrivait pas à mettre le doigt dessus. Son mari n'avait jamais appris à s'adapter. C'était peut-être ça. Il n'était pas assez social. Il agissait bizarrement, ne levait jamais les yeux quand on lui adressait la parole et parlait à peine lui-même. Il était là comme s'il n'était pas vraiment propriétaire de son propre corps — épaules voûtées et tombantes, cage thoracique enfoncée. Il ressemblait à un costume sans maître. Pas étonnant que leur vie soit devenue si triste, si étriquée !

Oui, avais-je envie de dire, et Alberta, la dame d'à côté ? *Son* mari était un bon à rien. Elle avait pourtant plus d'amis que je ne pouvais en compter sur mes doigts.

Je suis allée à l'école — un monde complètement neuf. Je n'aurais jamais cru que les gens puissent être aussi gais. Je restais sur le bord du terrain de jeux, à l'écart, et je regardais les filles se rassembler, glousser pour des riens, raconter des histoires de famille, colorées et vivantes, des visites au cirque, des bagarres avec leurs frères. Elles ne m'aimaient pas. Elles disaient que je sentais. Je sais qu'elles avaient raison, car lorsque j'entre chez moi aujourd'hui, je sens l'odeur moi aussi : un air sombre, ancien, rance, renfermé, dans lequel rien n'a bougé depuis longtemps. Je me suis peu à peu rendu compte du comportement étrange de ma mère. J'ai remarqué que ses robes ressemblaient à d'énormes combinaisons fleuries. Je me suis demandé pourquoi elle ne sortait plus jamais. Et puis, une fois, je l'ai vue de loin, se diriger péniblement vers l'épicerie. A partir de ce jour-là, j'ai souhaité qu'elle ne puisse plus jamais sortir.

Je me demandais pourquoi mon père avait si peu de clients — des soldats ou des gens de passage pour la plupart —, pourquoi il devait leur adresser la parole en marmonnant, avec cet air de chien battu qui me déchirait le cœur. J'avais peur que ma mère et lui ne s'aiment pas, se séparent, s'éloignent l'un de l'autre en m'oubliant dans la confusion. Pourquoi ne pouvaient-ils pas ressembler aux parents d'Ardle Leigh ? Les Leigh se tenaient toujours par la main, où qu'ils aillent. Mes parents ne se touchaient jamais. Je les ai rarement vus se regarder dans les yeux. Ils semblaient regarder quelque chose à l'intérieur d'eux-mêmes, comme des gens trompés ou déçus. Bien qu'ils n'aient pas renoncé à dormir dans le même lit, le milieu du matelas restait singulièrement vide et lisse — ligne médiane jamais violée, intacte. Ils se querellaient parfois (explosions irritantes dont on ne pouvait jamais donner les *raisons exactes*) et mon père allait passer la nuit dans son studio photo. A ces moments-là, je me sentais disloquée et malade. J'aimais mon père plus que ma mère. Mon père croyait que j'étais vraiment leur fille. Pas ma mère.

Ma mère croyait qu'ils avaient commis une erreur à l'hôpital. « Ça a été un tel choc, toute cette histoire », disait-elle. Elle avait été stupéfaite. Une naissance qu'on n'attend pas, c'est comme un... un tremblement de terre ! Une tornade ! Un cataclysme ! Votre esprit n'a pas encore envisagé de cadre pour cet événement. « De plus », ajoutait-elle en tripotant un coin de sa robe, « ils m'ont donné une espèce de gaz hilarant, je crois. Et ça n'a été qu'un rêve. Ma vision était déformée, et quand ils sont venus me montrer le nouveau-né, j'ai cru que c'était un rouleau de coton absorbant. Ils l'ont laissé tout le temps à la pouponnière. Et quand j'ai quitté l'hôpital pour rentrer à la maison, ils m'ont tendu ce paquet. Quoi ! me suis-je dit. Ça n'est pas à moi ! Mais j'étais encore sous l'effet de surprise, vois-tu, et je ne voulais pas faire un scandale par-dessus le marché. J'ai emporté ce qu'ils m'ont donné. »

Elle se mettait alors à étudier mon visage, en plissant son front, grave et songeur. Je savais très bien à quoi elle pensait : de quel étranger avais-je bien pu hériter ces traits ? J'étais mince, squelettique même, avec des cheveux bruns. Personne n'avait les cheveux bruns dans la famille. J'avais des traits que personne ne parvenait à expliquer : mes cambrures de pieds bien trop hautes qui refusaient de se laisser emprisonner dans des chaussures. Ma peau jaunâtre. Ma taille. J'ai toujours été très grande pour mon âge. De qui tenais-je tout ça ? Pas de mon père. Pas de ma mère — ma mère mesurait un mètre cinquante, son frère Gérard était courtaud et son père corpulent avait un visage de bébé qui rayonne sur tous les portraits de famille. Certainement pas de ma grand-tante — en souvenir de qui j'avais été prénommée Charlotte — que les photographies nous montrent, assise, pieds comiquement suspendus dans le vide. Quelque chose avait mal tourné quelque part.

« Bien sûr, je t'aime quand même », disait ma mère.

Je savais qu'elle m'aimait. Mais il n'est pas question d'amour, de toute façon.

Malheureusement, j'étais née en 1941, à une époque où Camp Aaron se remplissait de soldats, où l'hôpital communal de Clarion débordait de malades — des femmes de soldats surtout, venues y accoucher. Il n'y en avait jamais tant eu ; il n'y en a jamais eu autant depuis. Les chiffres qui couvrent cette période sont hésitants, imprécis ou ont tout simplement disparu. Je le sais parce que ma mère l'avait vérifié. Elle n'avait plus rien pour fonder ses doutes. Quelque part dans le monde, sa petite fille aux cheveux blonds grandissait sous un faux nom, sous une fausse identité, avec de faux parents, des voleurs. Mais ma mère devait vivre avec, disait-elle. Ses mains s'agitaient dans le vide, tout espoir abandonné.

Pour elle, le monde était immense et étranger. Je savais, moi, qu'il était petit. On retrouverait sa fille tôt ou tard. Et puis, quoi ?

Mon père, si on lui en parlait, disait que j'étais la *vraie* fille. Il ne se posait pas de questions. Il répondait simplement : « Bien sûr. » Une fois même, il m'avait emmenée dans une des chambres d'amis pour me montrer mes culottes et mes brassières, rangées dans une malle en fer. (Croyait-il que ça prouvait quelque chose ? Je n'en sais rien.) Il avait acheté tous ces vêtements lui-même, m'avait-il dit, pendant que ma mère était à l'hôpital. Il les avait achetés pour *moi*. Il avait pointé un doigt sur ma poitrine et s'était gratté le crâne pendant un moment comme pour se rappeler quelque chose. Puis il avait regagné son studio photo. J'avais eu peur qu'il n'ait un nouvel accès d'humeur. J'avais à peine regardé les vêtements (jaunis, froissés, emballés de manière si serrée qu'on aurait dû les éplucher comme des feuilles de cigare), avant de sortir à mon tour de la pièce et d'aller le rejoindre. J'avais travaillé tout l'après-midi à ses côtés. J'avais rincé de lourdes plaques de négatifs sous l'eau courante, mais il n'avait rien dit de plus.

Les repas étaient silencieux et tendus. On n'entendait que le bruit des couverts. Mes parents ne parlaient pas ou, s'ils parlaient, c'était avec amertume, sans espoir.

« Amer comme des glands », disait mon père. Et il posait si brusquement sa tasse que le café se répandait sur la nappe raccommodée. Ma mère baissait les yeux, regardait ses mains ; mon père rejetait ses cheveux en arrière d'un mouvement de tête avant d'aller remonter la pendule. J'écrasais mes petits pois avec ma fourchette. Il n'y avait aucune raison de manger. Tout ce qu'on pouvait manger dans cette maison vous restait de toute façon sur l'estomac, pour toujours, comme une pierre.

Telles étaient mes deux inquiétudes principales, lorsque j'étais enfant : Ou je n'étais pas leur fille et ils pouvaient me renvoyer. Ou j'*étais* leur fille et je ne pourrais jamais plus m'échapper et gagner le monde extérieur.

3

J'étais contente que le braqueur de banques m'ait laissé la place du côté de la fenêtre. Même s'il ne l'avait pas fait par gentillesse, je pouvais au moins voir Clarion s'éloigner, disparaître, se prolonger par une série de maisons, de champs ouverts à perte de vue. Je n'avais plus qu'à m'installer confortablement, à me perdre dans ce paysage. Ça faisait des années que je n'étais allée nulle part.

Pendant ce temps, le blouson de nylon s'agitait à côté de moi et n'arrêtait pas de changer de position. Il était très nerveux, je le sentais. Nerveux de façon permanente. Je veux dire de nature. Il se redressait à tous les stops, à tous les feux de signalisation. Dès qu'une femme se levait pour descendre du bus, près d'une boîte aux lettres au milieu de nulle part, j'entendais ses doigts tambouriner pendant tout le temps de l'arrêt. Une fois même, nous avons dû ralentir derrière un tracteur. Il s'est mis à grogner tout fort. Puis il a changé ses pieds de position, a fait craquer ses épaules, s'est gratté le genou. De la main gauche, évidemment. La droite était invisible — bras sur l'estomac, pistolet enfoncé entre mes troisième et quatrième côtes. Il ne prenait pas de risques.

Que croyait-il que j'allais faire ? Sauter par cette petite fenêtre sale ? Appeler la vieille dame, devant moi, à mon secours ? Crier ? Oui, crier, peut-être. Ça pourrait marcher. (S'ils ne me prenaient pas pour une folle et ne faisaient pas semblant de ne rien entendre.) Mais je ne suis pas du genre à crier. Je ne l'ai jamais été. Un jour, j'ai failli me noyer. Je coulais à pic, complètement affolée, lèvres hermétiquement closes, sous les yeux de mon ange gardien. J'aurais préféré mourir plutôt que de créer des ennuis, de faire un scandale.

A un moment, nous avons roulé de front avec un train de marchandises. J'ai compté les wagons. Si on est coincé, on est coincé. Autant se détendre, je crois. Je me suis demandé pourquoi la compagnie de chemin de fer B&O avait changé de nom, pourquoi elle s'appelait maintenant Chessie System. Chessie pouvait tout aussi bien être une nouvelle formule de sandwich que le nom d'une femme, professeur d'éducation physique.

De temps à autre, je me disais que j'allais peut-être mourir dans un moment.

Le poste transistor du soldat diffusait un vieux classique : *De petits riens en disent beaucoup*. Je pouvais, si j'en avais envie, fermer les yeux et m'imaginer à nouveau au bal de première année. Mais je ne l'ai pas fait. La chanson s'est arrêtée au beau milieu d'une note aiguë et un homme a dit : « Nous interrompons notre programme pour vous communiquer ce bulletin de dernière minute. »

Le braqueur de banques n'a pas bronché, mais j'ai senti qu'il était sur le qui-vive.

« La police de Clarion signale que la *Maryland Safety Savings Bank* a été attaquée vers deux heures et demie, cet après-midi. Un Blanc d'une vingtaine d'années, qui semblait agir seul, s'est

24

enfui en emportant deux cents dollars en coupures d'un dollar et en emmenant une jeune femme en otage. Elle n'a pas encore été identifiée. Heureusement, les caméras automatiques de la banque ont fonctionné et la police a bon espoir de... »

Le soldat a changé de longueur d'ondes. Le commentateur a perdu tout intérêt et sa voix s'est évanouie. Olivia Newton-John a pris sa place.

« Mer... credi », s'est exclamé le braqueur de banques.

J'ai fait un bond.

« Pourquoi un endroit aussi paumé a-t-il besoin de caméras ? »

Je me suis risquée à jeter un coup d'œil dans sa direction. Un petit muscle s'agitait au coin de sa bouche. « Mais, écoutez-moi... », ai-je dit. Le pistolet m'a mise en garde, comme un pouce. « Écoutez-moi, ai-je murmuré, vous êtes parti, maintenant ! Vous êtes loin de tout ça !

— Bien sûr. Avec ma gueule imprimée sur pellicule !

— Quelle importance ?

— Ils vont pouvoir m'identifier. »

Identifier ? Est-ce que ça voulait dire qu'il était un repris de justice, connu des services de police ? Ou un paranoïaque, peut-être..., un fou échappé de l'hôpital psychiatrique de Lovill State ? Ça sentait le roussi, de toute façon.

« Ça sent le roussi », m'a-t-il dit.

Sa voix était fluette et rocailleuse... la voix d'un homme qui se fiche éperdument de l'impression qu'il peut donner. Je n'étais pas très encouragée... Je me suis refermée et j'ai tourné la tête. Vers les fermes tranquilles qui défilaient, de l'autre côté de la vitre.

« Qu'est-ce que tu regardes si fixement ? m'a-t-il demandé.

— Des vaches, ai-je répondu.

— Ils vont venir me cueillir au prochain arrêt, tu vas voir. Quel est le prochain arrêt ?

— Écoutez-moi. Vous n'avez pas entendu ce qu'ils ont dit à la radio ? Ils savent que vous avez emmené une femme en otage. C'est tout ce qu'ils savent, pour l'instant. Ils recherchent un homme voyageant avec un otage. Vous n'avez qu'à me laisser partir. C'est ce qu'il vous reste de mieux à faire. Ça ne serait pas plus intelligent ? Laissez-moi descendre au prochain arrêt. Restez dans le bus. Je ne dirai rien. Que vous soyez arrêté ou pas, je m'en moque. »

Il ne semblait pas m'avoir entendue. Il regardait fixement quelque chose, devant lui. Le petit muscle s'agitait toujours au coin de sa bouche. « Une chose que je ne peux pas accepter, c'est d'être bouclé, a-t-il fini par dire.

— Bien.

— Je ne peux pas le supporter.

— Bien.

— Tu restes avec moi jusqu'à ce que j'aie vu le film de la banque.

— Quoi ?

— Ce que leurs caméras enregistrent est généralement flou. Pourquoi s'affoler ? On va attendre et voir le résultat. Si le film n'est pas bon, s'ils perdent ma trace, je te laisse partir.

— Bien... et comment saurez-vous que le film n'est pas bon ?

— Ils vont le montrer à la télévision. Aux informations de ce soir. J'en suis sûr.

— Et comment va-t-on s'arranger pour voir les informations ?

26

— A Baltimore, bien sûr ! Où crois-tu qu'on va les voir ? »

Il a laissé sa tête retomber contre le dossier de son siège. Je suis retournée à mes fermes. Je me suis dit que je n'avais jamais rien vu d'aussi cruel que ce calme, cette indifférence avec lesquels paissaient les vaches.

Nous avions pris un vrai tortillard, car nous nous arrêtions dans des villes dont je n'avais jamais entendu parler, et à des tas d'autres endroits. Carrefours, croisées de chemins, terrains de campings, abris recouverts d'affiches électorales. Le crépuscule tombait quand nous avons atteint Baltimore. Chaque fois que je regardais par la fenêtre, mon reflet me rendait mon regard. Il avait un air plus intéressant que dans la vie quotidienne. Au-delà, je voyais les contours flous du braqueur de banques qui n'arrêtait pas de bouger.

Au terminus, nos phares ont éclairé un mur compact de Noirs, drapés dans des manteaux de satin, portant des casquettes au crochet. Ils faisaient les cent pas en mâchonnant des cure-dents. « Baltimore ! » a annoncé le chauffeur. Tous les passagers se sont levés et ont rassemblé leurs affaires. Tous, sauf moi et le braqueur de banques. Il m'a obligée à rester assise, à attendre que les autres soient passés. A *mon* tour d'être agitée et nerveuse. J'ai un problème avec les espaces clos. Si un bus est à l'arrêt, il devient définitivement un espace clos. « Je dois descendre, lui ai-je dit.

— Tu descendras quand je te le dirai.

— Mais je ne supporte pas de rester ici, enfermée. »

Ses yeux m'ont fusillée du regard.

« Vous voulez que je pique une crise de nerfs ? », ai-je ajouté.

Je n'aurais pas vraiment piqué une crise de nerfs, mais il n'en savait rien. Il s'est levé et m'a, d'un éclair de son pistolet, fait signe de passer dans l'allée centrale. Nous avons suivi le soldat, dont le transistor jouait *Washington Square.* Pour quelque obscure raison, je mélange toujours *Washington Square* avec *Minuit à Moscou,* et il a fallu que je sois descendue du bus, que je me retrouve sur le quai, abrutie et hagarde après ce long voyage, pour décider enfin que c'était bien *Washington Square* que j'entendais.

« Alors tu te magnes ? » m'a dit le braqueur de banques.

Des couples se retrouvaient et s'embrassaient dans la lumière blafarde, entre les autobus. Nous les avons bousculés et nous avons gagné la rue. Des tas de gens allaient et venaient — des hommes, de pauvres hères surtout. Le travail de la journée avait pris fin, mais ce n'était pas ce qu'ils faisaient là, de toute façon... attroupés, baguenaudant devant les bars, les *peep shows*[1] et les pancartes « Filles, toute la nuit ! ». Il régnait une forte odeur de frites. Tout le monde avait l'air dangereux. Mais j'avais ce braqueur de banques et son lourd pistolet chaud avec moi. De toute façon, que me restait-il à perdre ? C'était lui qui avait le sac. Je me suis faufilée à travers la foule, aussi aisément qu'un poisson dans l'eau. Libre de tous mouvements, guidée par ce point au bas du dos.

« Arrête », a-t-il dit.

1. Sex-shop où les clients peuvent disposer de cabine pour visionner des films à caractère pornographique.

Nous étions arrivés devant un endroit sale et minable ; une enseigne au néon brillait dans la vitrine : *Benjamin's*. Une porte en bois, recouverte d'une couche de peinture rouge si épaisse que j'aurais pu y inscrire mon nom du bout des ongles. Il a poussé la porte. Nous sommes entrés. Un récepteur de télévision rendait l'air poussiéreux et bleuâtre ; des rangées de bouteilles surmontées de petits globes argentés brillaient devant un miroir. Nous avons gagné le bar à tâtons et nous nous sommes assis. J'ai déboutonné mon imperméable. Un homme avec un tablier s'est tourné vers nous. Il a tourné la joue du moins, car ses yeux sont restés collés sur l'écran de télévision.

« Qu'est-ce que tu veux ? » m'a demandé le braqueur de banques.

Personne ne buvait chez nous. Mais je ne voulais pas paraître désagréable. « Une Pabst Blue Ribbon », ai-je dit au hasard.

« Une Pabst et un Jack Daniel sec », a dit le braqueur de banques.

Le serveur a versé le Jack Daniel à l'aveuglette, tout en regardant une publicité pour des pommes de terre frites. Mais il a quand même dû se tourner pour prendre un verre, pour ma bière. Puis les informations ont commencé et il a tout laissé tomber. Il a simplement déposé une grosse boîte à côté de mon verre. Il ne l'a même pas ouverte. Et il a tendu la main pour recevoir l'argent que le braqueur de banques y déposait.

Plusieurs hommes politiques voyageaient à travers le pays. Nous les avons vus descendre d'avion, serrer des mains, des mains, encore des mains, comme des gens tirant sur une corde. Nous avons vu un homme, acquitté par un grand jury. Il croyait en la justice américaine, a-t-il déclaré. Puis il y a eu une publicité pour Alka Seltzer.

« Encore un coup », a dit le braqueur de banques au serveur, en lui tendant son verre. J'ai ouvert ma boîte de bière et j'en ai avalé une gorgée. C'était bien d'être assise au comptoir, car je n'avais pas besoin de le regarder. Nous pouvions faire semblant de croire que l'autre n'était pas là.

Mes yeux étaient à présent habitués à l'obscurité et je pouvais voir que l'endroit ne valait guère mieux qu'une grange — vide, sale et froide. Il devait y faire froid, même en juillet, car le soleil n'y pénétrait certainement jamais. Je me suis demandé à quoi devaient ressembler les toilettes. J'avais besoin d'y aller mais je ne savais pas très bien comment m'y prendre.

Ils n'ont jamais étudié *la* question dans les films de gangsters.

Aux informations régionales, une réunion de conseil de classe. L'enterrement d'un agent de police. Une arrestation pour usage de stupéfiants. Une collision entre cinq voitures, à Pearl Bay. L'attaque d'une banque à Clarion.

Le visage du commentateur a laissé place à un film d'une qualité différente, floue et sombre. Sur ce film, un petit groupe de personnes titubaient les unes derrière les autres, comme des dominos. La personne de devant — un homme courtaud vêtu d'un complet sombre — a sorti quelque chose de sa veste. Un bras a surgi. Un autre individu a reculé en vacillant, à demi caché par une grande femme mince, vêtue d'un imperméable de couleur claire. L'homme et la femme ont disparu. Plusieurs visages se sont précipités en avant. Quelqu'un a mis une écharpe blanche ou un mouchoir sur ses yeux.

J'étais fascinée. Je n'avais jamais eu la chance d'observer une pièce que j'avais quittée.

Le commentateur est revenu à l'antenne, petite figure pâlotte comme s'il avait été pris par surprise. « Donc », a-t-il dit. Il s'est éclairci la gorge. « Eh bien, c'était… et souvenez-vous que nous avons été les premiers à vous montrer un véritable hold-up, comme si vous y étiez. La police a identifié le suspect. Il s'agit d'un certain Jake Simms Jr, récemment évadé de la prison du comté de Clarion. Mais personne jusque-là n'a pu mettre de nom sur l'otage. Cependant, des barrages routiers ont été dressés et Mr Andrews, chef de la police de Clarion, reste confiant et pense que le suspect se trouve toujours dans la région. »

« On s'en va », a dit Jake Simms.

Nous sommes descendus de nos tabourets et nous sommes partis. Sur le pas de la porte, je me suis retournée pour jeter un coup d'œil sur le serveur. Mais ses yeux étaient toujours rivés sur l'écran.

« Je savais que ça arriverait, a dit le braqueur de banques.

— Mais vous avez *franchi* tous les barrages.

— Ils savent mon nom, maintenant. »

Nous nous sommes frayé un chemin à travers une foule encore plus compacte. Personne ne semblait aller nulle part. Autant que je pouvais le dire, le pistolet n'était plus collé dans mon dos. Étais-je libre ? Je me suis arrêtée.

« Avance, m'a-t-il dit.

— Je veux aller à la station de bus.

— Pour quoi faire ?

— Je m'en vais.

— Non. »

Nous étions au beau milieu du trottoir. Nous bloquions le passage. Il avait besoin de se raser, ai-je remarqué. Le regarder dans les yeux me mettait mal à l'aise. Je ne fais pas confiance aux hommes trapus. J'ai tendu la main prudemment, soucieuse de ne pas faire de gestes brusques.

« Je peux récupérer mon sac ? lui ai-je demandé.

— Ça n'est pas *moi* qui te garde, m'a-t-il dit. C'est eux. S'ils s'arrêtaient de me pourchasser, nous pourrions nous séparer. Et, crois-moi, rien ne me ferait plus plaisir. Mais ils savent mon nom, maintenant. Ils vont me donner la chasse et j'ai besoin de toi pour me protéger jusqu'à ce que je sois en sécurité. Compris ? »

Nous sommes allés dans un autre bar, aussi sombre que le précédent, mais plus fréquenté. Cette fois nous nous sommes installés à une table, dans un coin. « Maintenant, laisse-moi réfléchir », a-t-il dit. Je n'avais pas ouvert la bouche. Puis il a passé sa commande. « Un Jack Daniel sec et une Pabst. Deux sachets de bretzels. » J'ai décidé de ne pas boire ma Pabst à cause du problème des toilettes. J'ai croisé les bras sur la table et j'ai tendu le cou pour regarder la télévision — celle-là était en couleur. Un homme parlait du temps. Jake Simms a posé mon sac entre nous, sur la table. « Qu'est-ce que tu as, là-dedans ?

— Pardon ? Comment ?

— Des armes ?

— Des... non ! »

Il a défait la boucle et l'a ouvert. Il a sorti mon portefeuille usé et gondolé, qui ne contenait qu'un pauvre billet pathétique, de la menue monnaie, des épingles à cheveux, une carte de bibliothèque. Il y a jeté un coup d'œil. « Charlotte Emory », a-t-il dit. Il a étudié ensuite une photo sur laquelle je tiens Selinda dans mes bras. Elle était petite, à cette époque-là. Il m'a regardée. Je savais à quoi il

32

pensait : je m'étais laissée aller depuis peu. Mais il n'a pas fait de commentaires.

Il a sorti un rouleau de tickets d'épicerie retenus par un caoutchouc. Ça l'a fait grogner. Un paquet de mouchoirs en papier, une brosse à cheveux, sale, et une paire de ciseaux à ongles. Il a éprouvé la pointe des ciseaux du bout de son pouce, puis m'a observée. J'avais le regard posé sur la brosse. Elle m'avait humiliée. J'avais l'esprit ailleurs. « Pas d'armes, hein ? a-t-il dit.

— Quoi ? »

La serveuse nous a apporté notre commande et lui a présenté la note. Il a fouillé ses poches. J'en ai profité pour envoyer des messages muets à la serveuse. Ça ne vous paraît pas bizarre, cet homme qui vide le sac d'une dame ? Nous ne faisons pas un couple étrange ? Vous ne devriez pas en faire part à quelqu'un ? Mais la serveuse est restée là, plantée — le regard perdu dans le miroir serti de marbre, au-dessus de nous — son petit plateau de monnaie à la main.

Quand elle est partie, Jake Simms a fait disparaître les ciseaux sous la table et les a balancés d'un violent coup de pied. Je les ai entendus glisser sur le sol. Puis il a recommencé à fouiller mon sac. Cette fois, il en a exhumé un livre de poche — mon *Livre de survie,* en piteux état. Comment traverser le désert. Il a froncé les sourcils. Il a retourné mon sac et l'a secoué. Et… il en est tombé quelque chose de brillant qu'il a immédiatement intercepté.

« Qu'est-ce que c'est que ça ? » a-t-il dit en brandissant l'objet.

Oh, mon Dieu, mon badge. Mon petit badge en fer-blanc, en forme de bouclier. Mon petit badge qui ressemblait à quelque chose d'officiel, de militaire. « Je le prends », lui ai-je dit.

Il a eu l'air méfiant.

« Je peux le récupérer, s'il vous plaît ?

— Qu'est-ce que c'est ?

— Eh bien, c'est simplement un... un porte-bonheur, un gri-gri. Je peux le récupérer ? »

Il a louché en en déchiffrant l'inscription. « Toujours *partir* ? a-t-il dit.

— Je crois que j'ai trouvé ça dans une boîte de céréales.

— Plutôt moche pour un gri-gri.

— Oh, ça n'était que dans une boîte de... de Dieu sait quoi. Quelle importance ? La *plupart* des porte-bonheur sont moches. Pattes de lapin, pièces bicéphales... je l'ai trouvé dans une boîte de céréales en prenant mon petit déjeuner ce matin. Je crois que c'est un dicton populaire. J'allais le jeter, mais... Oh, vous savez très bien comment on réagit. J'y ai vu comme un signe. Pas sérieusement, bien sûr. J'ai simplement pensé : et si ce badge voulait me dire quelque chose ? Du genre : prends la route, ne reste pas plus longtemps assise, agis.

— Comment en es-tu arrivée à penser qu'il voulait te dire ça ?

— Je me suis dit que c'était un signe pour quitter mon mari. »

Un silence.

J'ai demandé : « Je peux récupérer mon badge ?

— Laisse-moi d'abord tirer tout ça au clair. Tu allais quitter ton mari ?

— Eh bien, *vous* savez... »

J'ai tendu la main pour saisir le badge. Il a ignoré mon geste. « Bon Dieu ! a-t-il dit. La situation tourne finalement à mon avantage.

— Quoi ?

— Et moi qui étais en train de maudire ma chance ! Moi qui croyais m'être fichu dans de beaux

34

draps ! Moi qui m'attendais à ce que ta famille me mette le F.B.I. aux trousses ! Oh, ta chance tourne, Jake, vieille branche !

— Je ne vois pas en quoi... en quoi...

— Les événements prennent une meilleure tournure, me semble-t-il.

— Je veux mon badge, ai-je répété.

— Oh que non ! Je crois que je vais le garder. Les médailles, les insignes ont des épingles et les épingles sont des armes meurtrières.

— Ça n'est pas une *médaille* ! Ça n'est qu'un pauvre petit badge émoussé que j'ai trouvé dans une... »

Mais il l'a glissé dans la poche de sa chemise et j'ai dû le voir disparaître, impuissante.

Tout à coup, j'ai pris peur. Je ne sais pas pourquoi. Pourquoi à ce moment-là, précisément ? Je n'en sais rien. Mais je me suis mise à trembler. J'avais le souffle coupé. J'ai eu l'impression que je n'allais pas m'en sortir. Rien ne m'avait préparée à ça ! J'étais si pacifique. Je détestais les bruits stridents. Je tendais toujours les objets coupants et pointus par le manche. Je n'aimais pas affronter les gens ni de l'œil ni du poing. Je me suis retenue à la table. J'ai essayé de reprendre ma respiration. J'ai fixé mes yeux, avec détermination, sur l'écran de télévision qui ne m'a été d'aucune aide : des bandits galopaient. De vieux trains passaient dans un incroyable tintamarre. Un homme sautait de sa selle dans le fourgon aux bagages. Il dessinait une courbe élevée, donnant une impression de ralenti. C'était presque miraculeux. Quelques-uns des clients du bar ont applaudi à cet exploit.

« Ouais, a dit Jake Simms. C'est le problème avec ces choses-là. On les regarde un peu trop longtemps et on se surprend à espérer qu'elles nous arrivent. »

J'ai soufflé et je l'ai dévisagé. J'étais si près de lui que je pouvais voir le grain de sa peau, les cernes sous ses yeux, sa fine bouche, quelconque et gercée. Mais son attention était retenue par ce qui se passait sur l'écran de télévision. Il ne m'a pas remarquée.

Au moment où nous sommes ressortis, il faisait vraiment nuit. J'ai reboutonné mon manteau. Il a relevé le col de son blouson. Nous avons franchi un couloir de néons, d'affiches lumineuses, de musique, puis nous avons tourné à droite dans une rue plus sombre. Nous sommes ensuite passés devant des bureaux de prêts sur gages, des petits restaurants et des laveries. Nous avons vu un pressing où des gens pliaient leurs draps.

Dans la vitrine d'un magasin d'appareils électroménagers, six récepteurs de télévision montraient une femme se faisant un shampooing. Puis un commentateur a annoncé, d'après les mouvements de ses lèvres, quelque chose de grave. Jake et moi avons fait notre apparition sur l'écran et avons disparu : notre éternelle danse boitillante, silencieuse.

Nous étions devant la vitrine du magasin. Nous nous regardions à travers les contours de nos propres reflets. Nous étions liés l'un à l'autre pour toujours. Il n'y avait pas d'issue.

4

Ça n'était pas la première fois que j'étais kidnappée. Ça m'était déjà arrivé une fois.

Voilà comment ça s'était passé : j'avais été admise à participer au concours du plus bel enfant de la foire du comté de Clarion. J'avais été admise, parce que la première démarche consistait à envoyer la photo de l'enfant. Ce serait une excellente publicité pour mon père au cas où je remporterais le concours. Je me souviens très bien des grandes lettres blanches qui couraient au bas de la photo : PHOTO PRISE PAR LE STUDIO AMES. Habituellement, mon père apposait seulement ce cachet au dos du cliché.

Sur cette photo, mes cheveux mouillés pendaient en mèches raides et serrées jusqu'à ma mâchoire. L'expression de mon visage se voulait farouche mais se révélait triste. (Ils avaient tout fait pour m'arracher un sourire, mais n'y étaient pas parvenus.) Je portais un débardeur sombre sur une blouse aux manches bouffantes. Ma mère pensait que les manches bouffantes me donnaient l'air plus jeune. J'avais sept ans, à l'époque. C'était l'âge limite du concours. Mes parents disaient que mon visage était plus rond et... et plus joli, vraiment, quand j'avais six ans. Ma mère aurait souhaité qu'un concours semblable ait eu lieu quand j'avais six ans.

Quoi qu'il en soit, une lettre est arrivée à la maison. Elle disait que j'avais été qualifiée pour la finale. Que je devais me présenter à dix heures du matin, le jour de l'ouverture de la foire. Juste avant l'élection de Miss Clarion. Tout de suite après l'élection du plus beau bébé.

Ma mère m'a fait une robe au crochet. Blanche. Bien qu'elle ne soit allée nulle part depuis des années, elle m'a dit — tout en épinglant mon ourlet — qu'elle m'accompagnerait à la foire. Je me suis raidie. Comment allait-elle y arriver ? Elle transpirait et s'asphyxiait rien qu'en traversant une pièce. Elle vivait dans un univers différent, épais et aveugle. Elle s'était mise récemment à casser tout ce sur quoi elle s'asseyait. Des choses terribles s'étaient passées à la maison. Elles auraient été très gênantes si une tierce personne en avait été témoin. Ma mère devait constamment transporter avec elle une chaise spéciale — sa lourde chaise à barreaux blancs, aux pieds solides, pareille à celles que l'on trouve dans un jardin. Elle ne pouvait pas gravir de marches en bois ou se tenir sur une estrade. « Enlève-moi ça ! » ai-je crié.

Les bras lui en sont tombés. J'étais debout sur la table de la salle à manger. Elle a dû s'incliner en arrière pour pouvoir me regarder, bouche bée. « Qu'est-ce qui ne va pas ? m'a-t-elle demandé.

— Enlève-moi ça ! Enlève-moi cette robe ! » Et je me suis mise à en déchirer les pans.

« Charlotte ? Char chérie ? Mon trésor ! » s'est-elle exclamée en me tapant sur les mains. « Charlotte, qu'est-ce qu'il t'arrive ? »

Puis mon père est entré en traînant ses pieds,

chaussés de pantoufles en velours côtelé. Il avait l'un de ses accès d'humeur. On pouvait s'en rendre compte à sa figure, qui semblait avoir renoncé à se battre. Il a tourné ses yeux hagards dans ma direction. « Il faut que j'enlève ça ! lui ai-je dit.

— Oh que oui ! Tu ressembles à un chimpanzé en robe du soir. »

Puis il a poursuivi son chemin, vers la cuisine.

Ma mère m'a aidée — lentement et doucement — à enlever la robe. Je suis restée de marbre. Elle l'a pliée et l'a posée sur la table. Elle a repassé le pli qui ourlait l'une des manches bouffantes. Je savais ce qu'elle pensait : si seulement c'était *sa* fille qui était qualifiée pour le concours !

En fait, nous le souhaitions toutes deux.

Nous nous sommes rendus en voiture à la foire, avec la famille — mon gros oncle Gérard, sa femme Aster qui ne nous aimait pas, et Clarence, leur fils, un garçon de dix ans, immense, gauche et mou comme du chewing-gum. L'oncle Gérard nous a emmenés dans sa Cadillac. Elle semblait si hermétiquement close que j'ai eu peur. Peur qu'il n'y ait pas assez d'air pour tout le monde, pendant le voyage. Nous n'avons pas emporté la chaise de maman, car il nous aurait fallu prendre la camionnette. Maman devrait rester debout tout le temps. J'ai dû m'asseoir à côté de Clarence qui respirait par la bouche. Il avait des problèmes de végétations. J'ai regardé le paysage, par la fenêtre, en faisant semblant d'être ailleurs.

C'était en 1948 et la campagne, maintenant que j'y repense, était aussi tranquille et soignée qu'une illustration de livre d'enfants. Pompes à essence esseulées, champs couverts de fleurs, comme des dessus de lits. Arbres qui devenaient parfaitement rouges, parfaitement jaunes. A l'entrée de la foire, une enseigne montrait une ménagère aux lèvres peintes, aux cheveux bouclés, brandissant une boîte de conserves, faites maison. *Foire du comté de Clarion. 9-16 octobre,* disait l'enseigne. *Une raison d'être fier.* Mon oncle a ralenti en arrivant près du guichet et a tendu une poignée de dollars par la fenêtre. « Quatre adultes et un enfant », a-t-il dit au caissier. « Nous n'avons pas besoin de ticket pour l'autre enfant. Elle participe au concours de beauté. Ma nièce... »

Il croyait tout ce qui était écrit. Il pensait vraiment que c'était une raison d'être fier.

Le concours avait lieu dans le pavillon des produits fermiers, parmi les aubergines et les mottes de beurre. Je ne me souviens pas du concours lui-même, mais je me souviens du pavillon, de sa voûte caverneuse et vibrante d'échos, de ses poutrelles d'acier. La petite fille à côté de moi avait les jambes mouchetées de froid. Elle avait peur que les membres du jury croient qu'elle était *toujours* mouchetée. Il régnait une odeur de roses. Non, les roses sont arrivées après. J'en ai eu plein les bras quand j'ai gagné. Un homme qui n'était pas mon père m'a prise en photo.

Je connais cette photo par cœur, aujourd'hui. Elle était accrochée au mur du couloir, au premier étage. Un cliché sombre et flou, 8 × 10, montrant un groupe d'enfants vêtus d'organdi blanc ou de couleur pastel, de crochet ou d'organza et, au premier plan et au centre (plus immobile que les autres et donc plus nette), une fillette à la peau sombre dans une petite robe d'écolière, sombre et banale, une gerbe de roses dans les bras. En fait, elle ne semblait pas aussi jolie que ça. Je crois que mon succès était dû à mon accoutrement d'orpheline, à mes cheveux raides — ma mère s'était avouée vaincue — à mon expression désespérée. *La Petite Marchande d'allumettes.* Comment osaient-ils m'offenser ainsi ?

La gagnante du concours du plus beau bébé a été installée dans son landau et ramenée chez elle. On n'en a plus jamais entendu parler. Miss Clarion est apparue sur scène chaque soir, avant le rodéo. Mais le plus bel enfant n'avait pas autant de chance. J'ai dû rester dans le pavillon des produits fermiers. Chaque jour, de trois à six — après l'école — pendant une bonne semaine, j'ai dû aller m'asseoir sur une chaise dorée, pleine d'échardes, au beau milieu de l'estrade. Je portais une couronne en papier et je tenais un sceptre — en réalité une broche à hot-dog recouverte de poudre scintillante. Je revois tout ça avec précision. Je me souviens de tout. Des citrouilles — chacune dans une assiette en carton — sur la table, au-dessous de moi ; des ménagères chapeautées, portant tabliers, qui jetaient des regards en biais sur les confitures — où les prix avaient déjà été décernés. Des enfants qui tenaient des ballons sur lesquels était inscrit en gros « Hess, le meilleur engrais ». Et de la femme aux cheveux noirs qui restait devant moi, heure après heure, jour après jour, qui me dévisageait sans l'ombre d'un sourire.

Elle était jolie à sa manière : traits vigoureux et pommettes hautes ; ça n'était pas encore à la mode. Son manteau était long et étroit. Je n'avais jamais vu de jambes aussi minces. J'aimais bien ses deux taches fiévreuses de rouge, mais je n'étais pas aussi sûre de ses yeux qui avaient une apparence charbonneuse. Impossible de ne pas se demander ce qui avait bien pu mal tourner, en regardant des yeux comme ceux-là.

Les gens la contournaient comme l'eau contourne un rocher. Elle les ignorait. Elle restait là, plantée, les mains enfoncées dans ses poches et ne regardait que moi.

Entre-temps, des dames montaient sur l'estrade pour venir me dire combien j'étais jolie. Des enfants me faisaient des grimaces. Cousin Clarence (mon seul chaperon, maintenant que le concours avait eu lieu) arrivait au milieu d'un groupe d'hommes âgés, venus de la maison de retraite, et repartait, pieds plats et démarche en canard. La femme et moi, nous continuions de nous regarder fixement.

L'après-midi du dernier jour, à l'heure où mes parents allaient venir me chercher, la femme s'est avancée et m'a tendu les bras. Je me suis levée et j'ai posé mon sceptre. J'ai ôté ma couronne que j'ai abandonnée sur le trône. J'ai descendu les marches et je suis allée à sa rencontre. Elle m'a pris la main. Nous sommes sorties par la porte du fond.

Nous avons pris un raccourci. Nous sommes passées devant différentes baraques foraines, où l'on pouvait gagner un ours en peluche en passant des anneaux sur des bouteilles, en perçant des ballons ou en jetant quelques sous dans des assiettes en porcelaine, glissantes.

Jusqu'à présent, je n'avais vu que l'exposition agricole. J'espérais qu'elle allait s'arrêter là. Mais elle n'en a rien fait. Elle ne m'a même pas offert un tour sur la grande roue. Un regard sur son visage m'a tout de suite indiqué qu'il n'en était pas question. Elle avait quelque chose de sérieux en tête. Elle marchait rapidement, en fronçant légèrement les sourcils. J'ai serré sa main un peu plus fort et je me suis dépêchée pour garder l'allure.

Nous nous sommes dirigées vers les champs. Le vent s'est levé pour me faire frissonner dans ma robe à manches courtes. Le soleil était déjà couché. Je pouvais distinguer un groupe de caravanes contre le ciel gris, blafard. Elles avaient dû être là pendant toute la semaine. Le sol, tout autour, était défoncé et dur. Quelques-unes avaient des cordes à linge où voletaient des chemises ; d'autres, des cyclomoteurs devant leurs portes ; d'autres encore étaient éclairées par de douces petites lumières jaunes. La caravane vers laquelle la femme m'a entraînée était sombre. Pas de cordes à linge, rien qui puisse laisser penser que son port d'attache était là. La femme a poussé violemment la porte, a tendu la main pour allumer une lampe. Je suis restée sur le seuil de cette pièce qui aurait tout aussi bien pu être la salle d'attente d'un docteur — nue et propre, meublée et arrangée dans des tons brun sombre.

« Entre, je t'en prie », m'a-t-elle dit.

Je suis entrée. La femme a fermé la porte et s'est dirigée vers le coin obscur de la caravane. Elle portait toujours son manteau et se frottait les mains énergiquement. « Il fait si froid ! a-t-elle dit. Je vais nous préparer du thé. » Je pouvais dire qu'elle avait un accent étranger, mais je ne savais pas lequel. Nous n'avions pas d'étrangers à Clarion. « Tu bois ton thé, maintenant ? m'a-t-elle demandé.

— Non », ai-je répondu.

Au lieu de m'offrir autre chose, elle a cessé de se frotter les mains et est revenue dans le living. Elle s'est affalée sur un coin du canapé. Je me suis assise à côté d'elle. Elle s'est tournée et a cherché mon regard. « Tu aimes, ici ? m'a-t-elle demandé.

— Oui.

— Tout ça ne signifie rien pour moi. »

Je m'en rendais bien compte.

« De toute façon, tout est à lui. J'ai besoin d'un secrétaire. Seulement d'un secrétaire. J'y range même mes chaussures. Mon manteau et ma robe, aussi. Tu comprends pourquoi je suis un peu froissée. »

J'ai jeté un coup d'œil rapide sur son manteau. Il n'avait pas l'air froissé. Elle me semblait parfaite. Elle avait soigneusement posé ses pieds l'un contre l'autre. Ils avaient ainsi l'air d'une paire de chaussures rangée près d'un lit. Ses cheveux étaient plus bruns que les miens, mais je ne m'en suis aperçue qu'à la façon dont ils pendaient.

« Il a *trois* tiroirs à lui, ainsi qu'un placard, a-t-elle déclaré. *Il* m'a proposé un tiroir supplémentaire, mais je lui ai répondu que je n'en avais pas besoin. »

J'ai hoché la tête. J'ai pensé qu'elle avait raison.

« Mais, le croirais-tu de moi ? Quand tu te souviens de tout ce que *j'avais ?* Ma vie a changé. Il me dit : " Il te faut une nouvelle robe. Mon Dieu, tu n'es plus une réfugiée. " Je lui réponds que je n'ai pas la place pour une autre robe. J'accepte qu'il m'offre uniquement des choses qui ne tiennent pas de place — des repas au restaurant, des voyages pour voir de beaux paysages. J'adore voyager. Oh, tu n'aimes pas voyager ? »

J'ai cligné des yeux.

« Tu crois que je suis folle ? » m'a-t-elle demandé.

De quoi pouvait-elle être folle ?

« Tu crois que ça me fatiguerait de voyager tout le temps ?

— Je crois que c'est amusant de voyager.

— Amusant », a-t-elle dit en me faisant écho.

Nous avons contemplé nos genoux pendant un instant.

« Tu as été la première, a-t-elle dit finalement. Après ça, le bébé est tombé malade. Je ne sais pas de quoi. Puis Anna m'a dit : " J'abandonne. " — " Non, tu dois continuer. Il ne reste plus beaucoup de chemin à faire, maintenant ", lui ai-je répondu. En vérité, je n'avais pas la moindre idée de la distance qu'il y avait à parcourir. Nous marchions depuis des jours, des semaines, je ne sais pas. Des mois, peut-être. Nos plantes de pieds étaient en sang. Nous mangions de l'herbe. Dès que nous entendions un bruit et que nous nous cachions, je n'avais plus peur du tout. Quelle importance cela avait-il ? Mais Anna avait peur. Un jour, je me suis retournée. Elle avait disparu. Peut-être avait-elle disparu depuis longtemps. Il ne me restait plus rien. Je n'avais plus que ma robe. Puis je me suis mise à voyager pour lui, et j'ai avancé ce pied, puis l'autre. Ce pied encore, puis l'autre. Je dois avouer que je ne pensais plus du tout à toi.

— C'est très bien, ai-je déclaré.

— J'étais si, vois-tu, si occupée à mettre un pied devant l'autre. Et je me disais : " Je n'ai rien. " J'en éprouvais du plaisir. Tu savais tout ça ? »

J'ai secoué la tête.

Elle s'est tournée si brusquement qu'elle m'a surprise. Elle a pris mon visage dans ses mains et m'a rapprochée d'elle. Je n'avais pas vu qu'elle tremblait autant. « Dis-le, a-t-elle murmuré. Tu me pardonnes ?

— Bien sûr », ai-je répondu.

Ses mains sont retombées et elle s'est rejetée en arrière.

Puis elle a dit : « Bien ! » Elle souriait. Elle s'est redressée, a arrangé ses cheveux. « Il faut que nous te trouvions quelque chose à faire. C'est ennuyeux pour toi, non ? Nous verrons s'il a quelque chose d'intéressant à te proposer. »

Elle s'est affairée dans la caravane, s'est mise à rassembler divers objets. « Ciseaux, papier », a-t-elle dit. Elle les a disposés sur un guéridon. « Couleurs. Non, il n'a certainement pas de couleurs. »

Elle a quand même continué à en chercher. Elle a ouvert et refermé des portes, dans le coin obscur de la caravane. « Non. Non. Il faudra nous servir de crayons, a-t-elle dit. Cet homme est bien mal équipé. » Elle est revenue avec deux crayons minuscules. Elle m'en a tendu un. « Nous allons faire des poupées en papier, m'a-t-elle confié. Tu adores ça.

— Oui », ai-je répondu sans lui demander comment elle le savait.

J'ai découpé des poupées en bandes, comme je l'avais appris au jardin d'enfants — des rangées de poupées en robes triangulaires, se tenant par la main. Mais la femme découpait les siennes, une à une. Chacune était différente. Un homme d'abord, puis une petite fille, puis une vieille dame aux chevilles osseuses. Elle a dessiné leurs traits au crayon. Elle leur a fait des vêtements très simples. Une ligne ici ou là pour marquer une manche, un ourlet. Dès qu'une poupée était achevée, elle la posait à côté des autres sur le guéridon. Toutes ces jambes de papier blanc pointaient dans la même direction. On aurait dit que nous disions adieu à des gens. Mais je ne savais pas ce que ça voulait dire.

Puis la porte s'est ouverte brusquement et un homme blond est entré. Il portait un blouson de cuir noir. « Ce maudit Bobby Joe, a-t-il dit. Je lui ai demandé l'heure qu'il était », et j'ai dit : " Bobby Joe... " »

Il s'est arrêté et m'a regardée. La femme a poursuivi son travail. Il a dit : « Qu'est-ce que c'est encore que... ? »

On n'entendait que le claquement froid et métallique des ciseaux dans la pièce.

« Oh, Seigneur ! » Il a passé sa main sur sa figure, comme s'il en enlevait des toiles d'araignée. « Tu es cette petite fille, m'a-t-il dit.

— Hein ?

— Tu n'es pas cette petite fille ? Celle que tout le monde recherche ? »

Il s'est tourné vers la femme. « Seigneur ! »

Elle a continué son travail de découpage. Dans l'arrondi de sa paupière, j'ai lu la vérité : elle n'allait pas me sauver. Elle se savait, d'une certaine manière, coupable. Elle ressemblait à ces enfants qui deviennent sourds, se ferment, s'entêtent dans leur silence dès qu'un adulte leur fait des remontrances. A moi d'agir.

« J'habite ici », ai-je dit à l'homme.

Il a grogné, a regardé par la fenêtre obscure comme s'il y avait quelque chose de plus important au-dehors.

« J'habite ici ! Oui, ici ! C'est *ma* mère. Je suis *sa* fille !

— Tu avais un manteau ? » m'a-t-il demandé. J'ai baissé les yeux sur moi. « Non.

— Seigneur ! Allez, viens ! »

Je lui aurais résisté si la femme avait dit quelque chose, si elle m'avait tendu la main, si elle avait eu un regard pour moi. Mais elle était complètement absorbée par les frisettes d'un enfant de papier. Quand l'homme m'a prise par le bras, je l'ai suivi calmement.

Nous nous sommes frayé un chemin — dans une obscurité plus profonde que celle à laquelle je m'attendais — vers une foule de lumières blafardes, rouges et bleues. L'allée centrale de la foire était envahie de gens nouveaux, de musique tonitruante. Mais l'homme a hâté le pas. J'ai eu à peine le temps de voir. Nous nous sommes dirigés vers un bureau, dans une cabane en préfabriqué (je croyais que nous nous dirigions vers le pavillon des produits fermiers). Mes parents étaient assis dans la pièce, minuscule et froide, qui sentait le cigare. Un homme parlait au téléphone. Mon père a bondi dès qu'il m'a vue. Ma mère a ouvert la bouche et a tendu les bras. Des larmes coulaient sur son visage. Je suis allée l'embrasser, mais je pensais à sa chaise — une pauvre petite chaise de bureau, en bois. Allait-elle lui résister ? La soutenir ? Allait-elle se briser ? Allait-elle, ma mère, se retrouver prisonnière entre les deux accoudoirs incurvés au moment où elle voudrait se lever ? Quand je repense maintenant à cette réunion, je me souviens avec précision de cet instant crucial, où ma mère a changé de position, s'est balancée sur ces quatre petits pieds, fins comme des allumettes, et s'est levée — oh, sans encombre après tout ! — pour tituber vers mon père et lui demander son mouchoir.

Je suis rentrée à la maison en camionnette, coincée sur la banquette cirée entre mon père et ma mère. Elle n'arrêtait pas de me tapoter les cheveux et de parler. Elle perdait de temps à autre le fil de sa conversation. « Tu vois, nous avons d'abord cru que tu étais seulement... » oh, et ils s'inquiétaient à peine. Je veux dire que les gens s'en fichent totalement, n'est-ce pas ? S'exciter ne sert à rien de toute façon ! C'est tout ce qu'ils trouvaient à me dire. Excitée, leur ai-je dit. Elle a été *kidnappée !* Et vous venez me dire de ne pas m'exciter ? »

Mais je ne l'écoutais pas. Du moins pas des deux oreilles. Je laissais une idée se former dans ma tête. Un plan. Une image de mon avenir. Comment pouvais-je savoir que cette image allait subsister en moi, ne plus jamais disparaître, me hanter une fois adulte et mariée — à un âge où l'on est, paraît-il, mûre et sensée —, occuper mes nuits d'insomnie et combler tous les moments vides de mon existence ?

Dans cette image, je marche le long d'une route poussiéreuse, que j'arpente depuis des mois. Le ciel est d'un gris profond, presque noir. L'air est verdâtre. De temps à autre, un vent impalpable et chaud se lève. Je ne porte rien, pas même de quoi manger ou me changer. Mes plantes de pied me font mal et je suis hirsute, épuisée. Pas de maison, de point de repère en vue. Pas un signe de vie.

J'ai pourtant de temps en temps l'impression que d'autres personnes, anonymes, voyagent dans la même direction que moi.

Depuis le 16 octobre 1948, j'ai essayé de me débarrasser de tous les objets qui pourraient alourdir et ralentir ma longue marche à pied. En 1948, j'aimais une poupée grise et laineuse, jadis bleue, au visage de celluloïd — une poupée dormeuse, c'est comme ça qu'on l'appelait, car ses yeux étaient éternellement clos. Deux croissants de cils peints. J'avais l'intention de l'emmener avec moi, mais en grandissant, j'ai abandonné cette idée. Plus tard, j'ai eu envie de garder ma gourmette et son petit sablier d'argent. Il contenait du vrai sable. Mais j'ai perdu la gourmette au cours d'une excursion à Washington, avec l'école. J'en ai été soulagée. Ça n'aurait été qu'un fardeau de plus.

Ma vie n'a été qu'une longue tentative pour me

défaire des objets encombrants, pour tout réduire au strict minimum afin de voyager librement. Les objets m'angoissent. Quand Saul m'a offert ma bague de fiançailles, je me suis fait du souci pendant des mois. Où allais-je pouvoir la cacher ? Car il fallait que je l'emporte avec moi. Je pourrais toujours la vendre pour manger. Mais ne tenterait-elle pas les voleurs qui me trouveraient endormie sur le bord de la route ? Dans leur hâte, ils pourraient très bien me couper un doigt, et je n'aurais pas de trousse de secours. J'ai été heureuse de la revendre au joaillier Arkin lorsque nous avons traversé une mauvaise passe.

Un mari était un autre fardeau. Je l'ai souvent pensé. Et les enfants, n'en parlons pas. (Sans parler de tout leur équipement : chandails, couches, brassières, animaux en peluche, vitamines, etc.) Comment est-ce que je m'y prenais pour avoir encore tant de choses autour de moi, quand j'en avais déjà tellement jeté ? Je regardais mes enfants avec ce même mélange d'amour et de ressentiment que j'éprouvais à l'égard de ma poupée dormeuse. J'aurais bien aimé me défaire des gens aussi. Quand je perdais un ami, j'étais heureuse.

Mon seul objet de valeur, depuis que je suis devenue adulte, est une paire d'excellentes chaussures de marche.

Personne, bien sûr, n'était au courant de mon projet de voyage. Mais, quand j'y pensais, ma mère se plaignait souvent de mon regard vide, de mes yeux hagards. « Je ne te comprends pas, me disait-elle. Pourquoi fais-tu une tête pareille ? On dirait que tu... que tu as plié et rangé ton *regard,* Charlotte. Que se passe-t-il ? Tu n'étais pas comme ça, avant. Pourquoi, depuis... je ne comprends pas... »

Depuis mon kidnapping, c'était ce qu'elle voulait dire. Hormis le fait qu'elle n'appelait pas ça un kidnapping. Elle semait la confusion en moi. Elle disait parfois que j'étais partie dans l'allée centrale, à la suite d'une contrariété. Elle disait parfois que les gens de la foire m'avaient égarée par pure malice. Jusqu'à ce que je ne sache plus très bien moi-même. Que s'était-il passé ? Qu'est-ce que ça voulait dire ?

J'avais été kidnappée. J'en étais certaine. Mais quand j'essayais de m'en souvenir, je ne savais plus très bien qui l'avait fait. J'avais été kidnappée et installée sur une table de salle à manger, prisonnière d'une robe au crochet. Mise sur un trône doré, plein d'échardes. Entraînée à travers champs par un homme en blouson de cuir. Engouffréc dans une camionnette par une grosse dame qui n'arrêtait pas de parler. « Je n'ai jamais eu aussi peur de ma vie. Je croyais que nous t'avions perdue. Notre seule et unique enfant, notre petite fille. Je me suis dit : " Comment pourrons-nous jamais... " J'ai cru que tu étais morte. Étouffée peut-être, ou étranglée. Tu es si menue. Il n'en faudrait pas beaucoup pour... Tu étais très menue, même toute petite, et je m'inquiétais nuit et jour. Aussi menue qu'un rameau. Un fil. Quand ils t'ont apportée, j'ai dit : " Mon Dieu, qu'elle est menue ! " Tu avais ces cheveux bruns et raides. Je n'avais jamais vu autant de cheveux sur le crâne d'un nourrisson. Tu avais la marque des forceps sur une tempe. Elle est restée jusqu'à ce que tu aies deux ans. Tu te souviens, Murray ? J'ai dit : " Qu'est-ce que c'est que cette marque ? *Mon* bébé n'est pas né grâce aux forceps. Mon bébé, à moi, est sorti tout seul. Le docteur me l'avait dit lui-même ." Oh, pourquoi ne répondent-ils jamais à vos questions ? »

Elle a laissé retomber ses mains sur son ventre. Mon père a soupiré. Ils ont tous les deux contemplé la nuit. La camionnette a poursuivi sa route dans un bruit de ferraille et m'a enlevée furtivement.

5

Nous sommes arrivés devant l'une de ces stations-service, comme on en voit dans les villes : lumières fluorescentes, pompiste en blue-jean qui fait le plein, berger allemand derrière la vitre du bureau. Jake Simms marchait lentement et n'arrêtait pas d'examiner la station. Je ne comprenais pas pourquoi. Puis il a dit : « Ça va faire l'affaire. » Il a traversé la dalle de béton en me poussant devant lui. « Il faut que j'aille aux chiottes, a-t-il dit, et puis j'ai d'autres choses à faire. Demande les clefs au gars.

— Quoi ?

— Les clefs. Demande-lui les clefs des chiottes. »

Je les lui ai demandées. Le garçon nettoyait un pare-brise. Il s'est arrêté et m'a écoutée, comme s'il ne pouvait pas faire plus d'une chose à la fois. Sa tête blonde, hirsute, s'est penchée vers moi ; les articulations de ses doigts étaient sales et rugueuses. « Je veux la clef, lui ai-je dit.

— *Les clefs !* » a grondé Jake, derrière moi.

« Les deux clefs. Une pour lui, également. »

Le pompiste a posé sa peau de chamois et a fouillé son jean. Tellement serré qu'il a dû prendre sa respiration avant de pouvoir glisser sa main dans la poche. Une clef était attachée à un ajutage en métal, l'autre à un disque en bois. « N'oubliez pas de me les rapporter, a-t-il dit.

— Sûr », a répondu Jake.

Nous avons fait le tour jusqu'aux toilettes. Les portes étaient enchaînées et cadenassées. Jake a ouvert les toilettes pour dames et m'y a poussée. Je ne savais pas très bien ce qui se passait. Était-ce la fin du voyage ? Avait-il l'intention de s'en aller pour de bon ? Jusqu'à ce qu'il me dise : « N'essaye pas de te sauver. » Et il m'a claqué la porte au nez. J'ai entendu la clef tourner dans la serrure. La chaîne a continué d'osciller contre la porte pendant un bon moment. Comme une poignée de billes qu'on aurait laissées tomber à plusieurs reprises.

J'étais heureuse, bien sûr, de trouver enfin des toilettes. J'ai fait pipi — dix litres au moins. Je me suis lavé les mains. Je me suis regardée dans la glace piquetée. Mes cheveux étaient un peu sales. A part ça, j'étais comme d'habitude. Ces changements ne sont pas aussi visibles qu'on le croit.

J'ai jeté un coup d'œil au-dessus de moi. Le plafond était très sombre, minuscule, couvert de toiles d'araignées. Oh, c'était un espace clos. Très bien. Au sommet du mur, un petit vasistas — vitre opaque et laiteuse, grillage — était entrouvert. Je suis montée sur la lunette des cabinets. Sur la pointe des pieds, je suis arrivée à coller mon visage contre la vitre, à voir le peu qu'il y avait à voir : une bande d'obscurité, les toits étincelants de quelques voitures en réparation. Pas un seul être humain. Personne pour me sortir de là. N'importe qui aurait été le bienvenu. Même Jake Simms. J'étais prête à taper contre la vitre comme je l'aurais fait sur les barreaux d'une prison, à l'appeler par son nom. Et puis je l'ai vu — silhouette courbée, près d'une voiture en stationnement. Il s'est redressé et s'est dirigé vers moi. J'ai abandonné mon mirador. J'ai sauté sur le sol et j'ai mis mon sac en bandoulière. Quand il a ouvert la porte, je l'attendais, aussi sage qu'une image. Je ne lui ai pas laissé voir ma nervosité.

« Par là », a-t-il dit.

Il m'a guidée dans le noir, vers le groupe de voitures que j'avais aperçues par la fenêtre. L'une était très longue, comme voûtée. Je ne l'ai pas très bien vue. Côté passager, les portières avant et arrière étaient fermées par une chaîne et cadenassées. Nous nous sommes faufilés entre les voitures pour passer du côté du conducteur. Jake a ouvert la portière et m'a projetée sur la banquette. « Allez, pousse-toi », a-t-il dit.

Je l'ai regardé.

« N'essaye pas de me jouer un tour. J'ai fermé la portière avec la chaîne et le cadenas des toilettes pour hommes. » Je me suis poussée. Les voitures sont également des espaces clos. Même si les portières ne sont pas cadenassées. Et cette voiture-là, me suis-je dit, pouvait étouffer quelqu'un par l'odeur poussiéreuse, étourdissante de ses sièges recouverts de housses, par ses fenêtres minuscules. Il n'y avait pas d'appuie-tête. Deux énormes dominos de fourrure pendaient au pare-brise arrière. « Qu'est-ce que c'est que *cette* voiture, ai-je demandé.

— Pas de choix pour les mendiants, a dit Jake. C'était la seule bagnole qui avait ses clefs sur le tableau de bord. »

Il s'est installé à la place du conducteur, a fermé la portière très doucement. Elle a fait un bruit presque inaudible au moment où la serrure s'est enclenchée. Puis il a soufflé et est resté immobile pendant une minute. « Il s'agit de savoir si elle marche, maintenant », m'a-t-il confié.

J'ai entendu le bruissement du nylon, la clef qui tournait. Le moteur a démarré dans un toussotement. Jake a passé la marche arrière. J'ai vu la voiture de devant s'éloigner doucement. Étant donné que je ne sais pas conduire, j'ai continué de regarder devant moi. Aussi, j'ai ressenti un choc quand *boum !* — nous avons heurté quelque chose. Je me suis retournée mais ne suis pas arrivée à savoir ce que c'était. D'après le bruit de ferraille, ça pouvait être une boîte aux lettres. « Oh, merde », a rugi Jake. Il a changé de vitesse et s'est engagé en trombe dans la rue. Mais cet incident n'a même pas donné aux autres l'occasion de nous prendre en chasse, car j'ai continué de regarder derrière nous et je n'ai remarqué personne.

« Tu vois, je ne voulais pas freiner, a dit Jake. Je ne voulais pas que les feux de marche arrière s'allument. »

Maintenant que nous avions quitté la station-service et que nous nous étions faufilés dans la circulation de cette fin d'après-midi, il a daigné allumer ses lanternes et s'est confortablement calé dans son siège. Je n'arrivais pas à y croire. C'était *tout ?* Aussi simple que ça. « Nom d'une pipe, me suis-je exclamée, je ne savais pas qu'une vie malhonnête était aussi facile. »

Il m'a regardée de biais et a dit : « Une vie quoi ? »

Je n'ai pas répondu. (Je ne voulais pas m'attirer d'ennuis.) Nous avons roulé pendant un bon moment, puis nous avons tourné sur la droite. Nous avons dépassé des gens qui faisaient la queue devant un restaurant. Puis : « Ah, a-t-il dit. Tu crois que je suis un de ces criminels. J'en suis sûr.

— Hmmm...

— Tu crois que je suis un escroc ou Dieu sait quoi d'autre. »

J'ai pensé qu'il valait mieux ne pas reparler du braquage de la banque. J'ai arrangé ma jupe. Je l'ai tirée, puis j'ai posé mon sac sur mes genoux. Nous avons tourné à gauche. Les maisons se faisaient de plus en plus rares.

« C'est ce que tu penses ? m'a-t-il demandé.

— Je ne sais pas ce que vous êtes et je m'en fiche. »

Il s'est arrêté à un feu. Il mordillait sa lèvre inférieure. Pas étonnant qu'elle soit aussi gercée. Quand le feu est passé au vert, la voiture a fait un bond en avant comme si elle se souvenait brusquement de quelque chose. Les pneus ont crissé. Les dominos ont valsé. « Le fait est que je participe à des courses de cascadeurs », a dit Jake.

J'ai cru qu'il se moquait de sa façon de conduire, mais son visage était sérieux. « J'en fais beaucoup ; un peu partout. Hagerstown, Potomac... Il y en a plein dans le Maryland.

— Plein de... de courses de cascadeurs ?

— L'année dernière, j'en ai gagné trois. Mais je fais généralement mieux que ça.

— Ah, bon. Je croyais que c'était juste un passe-temps, pour le week-end — les courses de cascadeurs. Vous gagnez votre vie comme ça ?

— Ce que je fais ne te regarde pas.

— Je veux dire...

— Si j'y suis obligé, je chercherai dans quelques jours un emploi dans un atelier de réparations auto. Mais j'aime rien faire d'autre que ces courses. Je suis un dingue de la cascade, de la défonce, je te le

57

dis. Je préfère ça à la bouffe. Je ne pourrais jamais mener la petite vie *pépère* à la maison, sans issue de secours, avec femme, enfants et poisson rouge... Ce que j'aime par-dessus tout, c'est mettre mes mains sur le volant d'une... disons Ford, d'une bonne vieille Ford, 62 ou 63, longue comme ça, et de leur rentrer dedans, de tous les écraser. Défoncer cet engin. La plus belle sensation que je connaisse. »

Il a fait une embardée pour éviter une carcasse. Il n'a même pas freiné.

« Tu croyais que j'étais un criminel ? J'en suis sûr.

— Eh bien...

— Tu veux savoir la vérité ? »

J'ai attendu. Il m'a lancé un regard, puis a détourné les yeux. Difficile de lire l'expression de son visage dans l'obscurité. « L'ennui, c'est que je suis victime de mon impulsion.

— De... ?

— Mon *impulsion.*

— Oh !

— C'est un de mes potes qui m'a dit ça. Un type qui s'appelle Oliver. Oliver Jamison. Un petit mec intelligent que j'ai connu au centre d'éducation surveillée. On était encore des gosses, lui et moi. Il s'en foutait, tu vois. Si on l'enfermait, eh bien... il sortait un bouquin et il se mettait à lire. Voilà le genre de mec que c'était. Moi, je deviens dingue si on me boucle. C'est vrai. Comme si je devenais fou. Je ferais n'importe quoi pour foutre le camp. Dans ce centre par exemple, je m'étais tordu la cheville en sautant par la fenêtre de la salle de bains du chapelain. Je m'étais taillé dans les bois avec une cheville foulée. A un mois de ma libération. C'est à ce moment-là qu'Oliver m'a dit ce qu'il m'a dit. Quand ils m'ont ramené, il m'a dit : " Jake, tu es

58

victime de ton impulsion. " Ça m'est resté. " Tu es victime de ton impulsion ", qu'il m'a dit. »

Il s'est engagé sur une route, une petite chose à deux voies qui sortait de la ville. Le moteur a grogné. « Ceux qui sont forts, c'est ceux qui se fichent d'être bouclés, a dit Jake. Oliver, il avait du sang-froid. J'aimais bien cet Oliver. Je l'appelais O.J. Il aimait bousiller des trucs comme moi — je veux parler de trucs de gosses — de bombes dans les boîtes aux lettres, par exemple. Il fabriquait ses bombes lui-même. Sûr qu'il était intelligent. Quand ils ont constaté les dégâts, une société de produits chimiques lui a offert une bourse, mais il l'a refusée. Je le comprends. Tu vois, des boîtes aux lettres... il y a une vraie satisfaction dans une boîte aux lettres. Mais tu n'as pas envie de travailler pour une société de produits chimiques. »

Un conducteur qui venait en sens inverse a fait un appel de phares, mais Jake l'a ignoré.

« Ce que je lui ai dit, c'est que ça dépendait aussi des circonstances. C'est pas uniquement de l'impulsion, que je lui ai dit. Prends cet après-midi par exemple. Ou des événements antérieurs. Des accidents, des mauvais chronométrages, un pauvre type qui te sort un flingue... tu comprends ce que je veux dire ? J'ai pas de chance. Je ne suis pas un veinard.

— Comment pouvez-vous dire ça ? Je ne comprends pas.

— Hein ?

— Et si la voiture n'avait pas démarré ? A la station-service. Elle *était* là en réparations, vous vous souvenez ? Et si elle n'avait pas démarré, après avoir cadenassé les... et si la clef n'avait pas été sur le tableau de bord ? Il y a des tas d'endroits où ils prennent plus de précautions que ça. Ils gardent les

59

clefs dans le tiroir-caisse, ou Dieu sait où. Et si le pompiste était resté dehors ? Que se serait-il passé ?

— De toute façon, j'aurais toujours pu piquer une bagnole ailleurs, a remarqué Jake.

— Mais...

— J'aurais pu aller par exemple, à une boîte Snorkel. Tu en as jamais entendu parler ? La boîte aux lettres Snorkel. Tu coinces le volet de la boîte. Comme ça, une lettre ne peut pas entrer dedans correctement. Un type arrive en bagnole, s'arrête devant la boîte, essaye de poster sa lettre, n'y arrive pas, descend de la voiture pour vérifier ce qui ne va pas, laisse les clefs sur le volant, le moteur en marche, la portière bien ouverte. Tu n'as plus qu'à sauter dans sa bagnole et hop... C'est parti. C'est simple, tu vois ?

— Mais il le saurait tout de suite. Il pourrait très vite vous donner la chasse.

— Ah, tu as pigé », s'est exclamé Jake en claquant des doigts. « Tu as tout de suite pigé. Moi, je ne choisirai jamais cette solution si j'ai d'autres moyens à ma disposition.

— Oui. » Et puis je me suis souvenu de ce que je voulais dire. « Oui, mais comment pouvez-vous dire que vous n'avez pas de chance quand tout a si bien marché ? »

Il s'est tourné. J'ai senti qu'il me dévisageait. « De la chance ! C'est comme ça que tu appelles ça ? Quand un cinglé se retourne, arme au poing, qu'une caméra te photographie et que tu te retrouves avec une bonne femme — que tu n'as jamais cherchée — sur les bras. Pour toi, c'est *avoir* de la chance, ça ?

— Euh...

— C'est les circonstances qui sont contre moi. Comme je l'ai dit à Oliver : " Je ne dresse pas mes

60

plans comme ça. Mais les événements m'échappent. " Mais Oliver... il était vraiment futé... il m'a répondu : " Toute ta vie t'échappe. " C'est ce qu'il me disait Oliver. " Toute ta vie. " Un mec futé ! »

Je ne sais pas l'heure qu'il était quand nous nous sommes arrêtés. Dix heures, peut-être. Nous avions roulé dans cette obscurité profonde qui vous fait vous sentir trop vulnérable. La route était en très mauvais état et zigzaguait constamment. Avec tous ces carrefours, ces feux de signalisation. Ma tête dodelinait, comme si j'allais m'endormir. Mais chaque secousse ramenait ma conscience à la surface. J'ai toujours su où nous étions. Aussi, quand nous nous sommes arrêtés, j'ai été tout de suite réveillée, sur le qui-vive. « Qu'est-ce qui ne va pas ? ai-je dit.

— Cette saloperie de moteur nous a lâchés ! »
Il a allumé le plafonnier. Mes yeux ont cligné. « Je savais, depuis le début, que ça allait nous arriver.

— Peut-être qu'il n'y a plus d'essence dans le réservoir. »
Il a jeté un coup d'œil sur la jauge, l'a tapotée. « C'est ça ? »
Je savais que c'était ça. Il ne m'a pas répondu. Il ne m'a pas regardée non plus. Il est descendu de voiture et a dit : « Prends le volant. Je vais la pousser sur le bas-côté.

— Mais je ne sais pas conduire.

— Qu'est-ce que ça a à voir ? Prends le volant, c'est tout ce que je te demande. Installe-toi à la place du conducteur et prends le volant ! »
Il a claqué la portière. J'ai changé de place. Une

seconde plus tard, j'ai senti son poids à l'arrière de la voiture, qui s'est mise à avancer, centimètre par centimètre. Je dirigeais le volant du mieux que je pouvais. C'était difficile d'y voir, avec ce plafonnier allumé. J'ai guidé la voiture sur quelques mètres en me demandant ce que j'allais faire si le moteur se remettait en marche et s'emballait. Liberté ! Je le laisserais loin derrière et je foncerais vers la route la plus proche. Mais il y avait un hic. Je ne savais pas vraiment conduire et je ne savais pas très bien où se trouvait la pédale du frein. J'ai donc tourné le volant vers la droite. Je suis finalement arrivée à garer la voiture sur une bande de terre boueuse, si étroite que des petits buissons épineux ont éraflé un côté de la carrosserie. J'ai entendu Jake pousser un cri. La voiture s'est immobilisée. Il est revenu vers moi, a ouvert la portière et a dit : « Je ne t'ai pas demandé d'entrer dans les bois.

— Je vous ai dit que je ne savais pas conduire. »

Il a soupiré, a tendu la main et a éteint les phares. Puis il a murmuré : « Très bien. Allez, viens.

— Que faisons-nous, maintenant ?

— Nous retournons à la station-service que nous avons dépassée, il y a un moment.

— Je pourrais peut-être rester là à vous attendre.

— Pas question. »

Je suis sortie de la voiture. Mes jambes étaient engourdies. Mes chaussures avaient, semblait-il, pris une forme qui ne convenait pas à mes pieds. « C'est loin ? lui ai-je demandé.

— Pas tellement. »

Nous nous sommes mis en route. Au beau milieu de la chaussée, car il n'y avait pas de voitures, dans l'une ou l'autre direction. Il m'avait à nouveau saisi le bras, au même endroit douloureux. Sa main semblait petite et nerveuse. « Écoutez-moi, lui ai-je dit. Vous ne pouvez pas me laisser marcher toute seule ? Où pourrais-je aller, de toute façon ? »

Il ne m'a pas répondu. Et il ne m'a pas lâchée, non plus.

L'air était chargé d'humidité — comme s'il allait pleuvoir — et semblait plus chaud que d'habitude. Je ne frissonnais plus. C'était déjà ça. J'ai deviné, d'après ce que je pouvais voir, que nous marchions entre des champs cultivés. A un moment, nous sommes passés devant une grange, puis devant un abri où dormaient des poulets. « Où *sommes*-nous ? lui ai-je demandé.

— Qu'est-ce que j'en sais ? Quelque part en Virginie.

— J'ai mal aux pieds.

— C'est incroyable que tu ne saches pas conduire », a-t-il dit comme si c'était la raison de tous nos ennuis. « C'est la chose la plus stupide que j'ai jamais entendue.

— Qu'est-ce qu'il y a de si stupide ? Certains conduisent, d'autres pas. Je fais seulement partie de ceux qui ne savent pas. Un point c'est tout.

— Il n'y a que les têtes de linotte qui ne savent pas conduire, a-t-il poursuivi. C'est comme ça que je vois les choses. » Il s'est essuyé le visage du revers de sa manche. Nous avons continué à marcher. Nous avons atteint un tournant sur lequel je misais tous mes espoirs. Mais de l'autre côté du tournant, il n'y avait rien d'autre que l'obscurité. Encore et toujours l'obscurité.

« Je croyais que ça n'était pas loin. C'est ce que vous m'aviez dit.

— En effet.

— Je crois que mes jambes vont me lâcher.

— Reste en ligne, nous arrivons.

— J'ai mal des pieds aux rotules.

63

— Tu as fini ? Bon Dieu, ce mec aurait pu faire le plein. Au moins une fois.

— Il ne savait peut-être pas pour combien de temps vous comptiez lui piquer sa bagnole.

— Attention à ce que tu dis ! »

J'ai décidé de faire attention à ce que je disais.

La station-service se trouvait juste après le deuxième tournant : un petit signe lumineux, blafard, deux pompes et une petite cabane de guingois. Dès que nous l'avons vue, Jake m'a lâché le bras. « Maintenant, écoute bien ce que je te dis, a-t-il déclaré. Tu vas aller demander de l'essence au pompiste. Compris ?

— Pourquoi est-ce que c'est toujours moi qui demande ? »

Quelque chose m'a poussée dans le bas du dos : le pistolet. Oh, Seigneur, le pistolet. Je croyais qu'on n'en reparlerait plus. En fait, il m'était complètement sorti de la tête. Comme s'il n'avait jamais existé. Ce petit aiguillon noir dans la main d'une victime de l'impulsion. J'ai traversé la route, j'ai gravi les marches. Jake était tout près, derrière moi. J'ai poussé la porte en bois gondolé. Pendant un moment, je n'ai vu qu'une pyramide de bidons d'huile Pennzoil, une pin-up en maillot une pièce sur un calendrier défraîchi et des piles de catalogues pour pièces détachées auto. Mais les catalogues étaient en morceaux. Puis j'ai découvert un vieil homme assis sur une chaise branlante. Il regardait la télévision. Il avait l'image mais pas le son. « Bonsoir », a-t-il dit sans tourner la tête.

« Bonsoir.

— Qu'est-ce que je peux faire pour vous ?

— Eh bien, notre voiture est en panne d'essence et je... nous avons besoin d'un bidon d'...

— Bien, très bien », a dit le vieil homme. Et il a

continué de regarder la télévision. Il y avait une publicité. Quelqu'un tenait une bouteille et savourait sa boisson en silence. Puis un commentateur a fait son apparition, derrière un bureau nu, qui semblait faux. Le vieillard a soupiré et s'est levé. « Un bidon, a-t-il dit. Un bidon. » Il s'est mis a fouiller derrière un tas de pneus, dans un coin. Mais il n'a rien trouvé. « Une minute. » Il est sorti. Jake a profité de son absence pour me pousser plus avant dans la pièce, pour se pencher vers le récepteur et mettre le son...

« Pas de fin en vue, a dit le commentateur. Même si les experts assurent qu'il y aura certainement, d'ici au milieu de l'été, un... » Jake a changé de chaîne. Il est passé d'une jeune femme qui se faisait un shampooing à un homme qui prononçait un discours puis à un autre homme qui jouait au golf. Puis il est tombé sur un second commentateur, pâle et diaphane. « On s'attend à ce que la circulation soit très dense cet été sur Bay Bridge », a-t-il dit, lointain. Jake a augmenté le son. La voix s'est amplifiée sans devenir pour autant plus claire. Le commentateur a remué tristement ses papiers, comme s'il venait de s'en apercevoir. Une photo de Saul et de moi est apparue sur l'écran, puis s'est éloignée. En dépit de la mauvaise qualité de l'image, nos visages semblaient plus distincts. D'ici à la semaine prochaine, on pourrait compter nos cils. Peut-être même lire nos pensées. Mais notre temps de passage a été écourté — coupé en plein milieu. Nous avons été remplacés par mon mari — une asperge géante — caverneux, décharné. Il avait toujours le même air spectral. Il était assis sur notre canapé à fleurs. J'ai senti quelque chose se déchirer en moi. « Le hold-up de la banque de Clarion, a dit le commentateur, n'est toujours pas résolu. La police s'inquiète pour l'otage qui a été identifiée. Il s'agit de Mrs Charlotte Emory. »

Mon mari a disparu. Une photo de moi l'a remplacé : c'était une photo que mon père avait prise, après mes examens de fin d'études. C'était moi dans les années 50, avec ma coiffure laquée, mon foulard de cow-girl et mon sourire, insolent et sombre. Puis Saul a fait son apparition à nouveau.

Le commentateur a dit : « Gary Schneider est allé interviewer Mr Emory pour notre bulletin de la soirée *Événements à l'écran.* »

Gary Schneider, que l'on ne voyait pas, a posé une question que je n'ai pas comprise. Saul a cessé de faire craquer ses phalanges. Il a dit : « Oui, bien sûr, je suis inquiet. Mais je crois à son retour. La police pense que le bandit se trouve toujours dans la région. »

Sa voix sonnait creux. Il ne semblait pas faire attention à ce qu'il disait.

« Que pensez-vous, monsieur, a demandé Gary Schneider, de ce témoin qui a déclaré qu'ils semblaient s'enfuir *ensemble* ? Avez-vous le sentiment qu'elle ait agi délibérément ?

— Ridicule », a déclaré Saul. Il s'est lentement redressé et a pris une allure inquiétante, menaçante. Ce qui a poussé Gary Schneider à dire : « Euh... eh bien... je...

— Charlotte ne ferait jamais une chose pareille. C'est une femme foncièrement bonne. Vraiment. C'est seulement... Je sais qu'elle ne songe pas à me quitter. »

Quelque chose a fait du bruit. Jake s'est retourné brusquement. Le vieillard était là, un bidon d'essence à la main. Il secouait la tête en regardant la télévision. « Depuis combien de temps regardez-vous la télévision ? » lui a demandé Jake — si méchamment qu'on ne pouvait pas s'y tromper. Mais le vieillard s'est contenté de sourire.

« Eh bien, j'ai été l'un des premiers de la vallée à acheter un poste, a-t-il dit. Celui-là, c'est le troisième. Je me suis débarrassé des deux premiers. En fait, j'avais pensé à la couleur, mais j'ai peur des rayons cancéreux.

— Oui, ça va », lui a dit Jake en l'interrompant.

Il a payé l'essence et le bidon. Le vieil homme a dit qu'il nous faisait confiance pour le bidon, mais Jake a déclaré : « J'aime mieux faire comme j'ai l'habitude. » Il lui a tendu l'argent ; il a pris le bidon et m'a fait signe de sortir. Quand nous sommes partis, le petit vieux était déjà courbé devant son poste. Il essayait de retrouver sa chaîne favorite.

Une fois dehors, Jake m'a dit : « Tu ne m'avais pas dit que tu quittais ton mari ?

— Oui. C'est vrai.

— Alors pourquoi a-t-il dit ce qu'il a dit ? Tu m'as menti.

— C'est lui qui a menti. Je ne sais pas pourquoi il a dit ça. Non seulement j'avais l'intention de le quitter, mais je l'ai déjà quitté une fois, et il le sait très bien. C'était en 1960. En 68, je lui ai dit que je recommencerais des tas d'autres fois. Mais je n'ai pas pu lui donner de dates exactes...

— Oh, j'aurais dû m'en douter !

— Que voulez-vous dire ? »

Mais il n'a pas répondu. Nous avons continué de marcher en soulevant doucement les pieds, sur cette route abîmée. L'air était plus frais et une fine bruine glacée tombait.

Oh, qu'est-ce que j'aurais aimé donner à Saul un morceau de mon esprit. Il faisait toujours des choses de ce genre. Il disait toujours : « Je suis sûr que tu ne me quitteras jamais, Charlotte. » J'aurais aimé qu'il me voie à présent. J'aurais aimé lui envoyer une carte postale : « Me paye du bon temps — suis enfin sur la route — tendresses à vous tous. » De Floride, des Bahamas ou de la Côte d'Azur.

Et puis, j'ai mis les pieds dans un nid de poule. De l'eau froide m'a éclaboussé les genoux. Mes chaussures se sont mises à pomper l'eau comme si elles étaient en papier. Nous sommes arrivés à la voiture — énorme carcasse dans l'obscurité, penchée sur le bas-côté comme un paralytique. Jake a ouvert la portière. Il a tendu le bras pour allumer les lanternes et le plafonnier. Les phares ont projeté un pinceau lumineux, mais le plafonnier a vacillé et s'est éteint. « Mais… ! » me suis-je exclamée. (Je n'avais jamais eu l'occasion d'examiner la voiture, jusqu'à maintenant.) « Mais… Qu'est-ce que c'est que ça ?

— Hein ? » Il a posé le bidon et a dévissé le bouchon du réservoir d'essence.

« Mais, c'est une… c'est une *antiquité !*

— Bien sûr. 53, si je ne me trompe pas.

— Mais… » J'ai reculé.

J'ai observé la grille du radiateur en forme de denture, le pare-choc indépendant qui ressemblait à l'appareil dentaire que l'on met aux enfants. La longue carrosserie en forme de bulbe était sertie de chromes aux endroits les plus inattendus. Au-dessus des phares, des viseurs aussi timides que des cils. Les phares eux-mêmes avaient une couleur particulière — d'un orange pâle, brumeux.

« Ça crève les yeux ! ai-je dit. Tout le monde va la remarquer. Elle va attirer le regard des passants, comme… pour l'amour du ciel ! »

L'essence gloucloutait dans le réservoir.

« C'est tout simplement stupide », ai-je ajouté.

Le bidon a atterri un peu plus loin, au milieu des buissons ou des branches, dans quelque chose de craquant.

« Allez, monte », m'a dit Jake.

Je suis montée. Il a pris place derrière le volant, a claqué la portière. Le moteur s'est mis à ronronner. Il a crachoté. Quand nous avons regagné la route, nous avons recommencé à nous balancer et à osciller sur les ressorts grinçants. J'ai laissé ma tête dodeliner contre le siège et j'ai fermé les yeux.

« Une chose, au moins, a dit Jake. C'est que tu es débarrassée de ton Frankenstein de mari et de cet affreux canapé à fleurs. Débarrassée de cette ridicule petite lampe avec ses franges perlées. Oh, tu ne *pourrais pas* me retenir prisonnier dans une maison aussi ennuyeuse. Tu devrais être heureuse de l'avoir quittée. Un de ces quatre matins, tu finiras bien par me remercier. C'est comme ça que je vois la situation. »

Mais c'est la seule lampe qui nous reste, avais-je envie de lui dire. Je me suis débarrassée des autres. J'ai même jeté les tapis, les rideaux, la plus grande partie du mobilier. Qu'est-ce que je peux jeter d'autre ? Ma tête devenait de plus en plus lourde. Mes yeux n'arrivaient plus à s'ouvrir.

Je me suis endormie.

6

J'ai rêvé de mon mari, mais il était plus jeune et n'avait pas ces deux fossettes verticales sur les joues. Il portait un ras de cou dont je ne me souvenais pas du tout. Son pantalon était kaki, comme les pantalons militaires qu'il portait à l'époque où nous sortions ensemble. J'ai été triste de le voir.

Mon mari était le garçon d'à côté. Mais pour être totalement sincère, nous n'avons pas grandi ensemble. Il avait plusieurs années de plus que moi — assez pour créer une différence, du moins à l'école. Quand j'étais en quatrième, il était déjà en terminale. C'était l'un des Emory, à l'ossature développée, paresseux, un bon à rien. N'importe qui pouvait vous dire qui était Saul Emory. Alors que j'essayais de me trouver à cette époque-là. Je ressemblais encore à une enfant. Je m'étais presque laissée mourir de faim en découvrant ma poitrine (deux petits coussins de graisse, pareils aux cous multiples de ma mère). On voyait les veines bleues de mes tempes, les plus petits détails d'articulations de mes poignets, de mes coudes et de mes genoux. J'avais un problème de maintien et personne ne savait que faire de mes cheveux.

Saul Emory a réussi ses examens de fin d'études. Et puis il est parti. J'ai continué année après année, pour devenir à mon tour élève de terminale, secrétaire de l'association des étudiants et dauphine de la reine de la saison de football. A ce moment-là, je m'étais enfin trouvée. Je le méritais, car je m'étais donné de la peine. Je souhaitais par-dessus tout que les gens me trouvent normale.

Par un énorme effort de volonté, j'étais parvenue à passer pour la fille la plus vive et la plus éveillée de ma classe. La fille la mieux arrangée aussi. Avec mon eau de cologne « Fleur de désert », mon sautoir de perles de couleurs et mon rouge à lèvres « Peignez la ville en rose ». J'allais me repeindre les lèvres toutes les heures, aux toilettes, avec un petit pinceau, comme ceux qu'utilisent les mannequins. J'avais quelques petits amis — mais rien de sérieux. Des amies également. Nous nous sommes fait des chignons à je ne sais combien de soirées entre filles. Je n'en ai jamais donné moi-même, bien sûr. Personne ne m'a jamais demandé pourquoi.

Je restais après les cours pour participer aux réunions de sororités, de la Société d'honneur, du comité des fêtes. Mais ces choses-là n'avaient qu'un temps. Je finissais toujours par me retrouver à la maison, dans cet air étouffant, pollué, au milieu des sempiternelles questions de mes parents : Pourquoi n'avais-je pas dit au revoir, ce matin ? Qu'est-ce qui m'avait fait rentrer si tard ? Qui était le garçon qui m'avait raccompagnée ? Est-ce que je comptais pour une fois passer la soirée à la maison ?

Je baissais les yeux vers eux (j'étais bien plus grande que mes parents), et tout me revenait : je me souvenais de qui j'étais réellement. Dans le miroir brumeux, derrière ma mère, mes perles me devenaient aussi étrangères qu'une rangée de griffes d'ours. Mon visage prenait un aspect jaunâtre sur les bords.

J'ai terminé l'école secondaire et j'ai obtenu une bourse partielle pour étudier les mathématiques à Markson College, à Holgate. C'était trop simple. Je n'arrêtais pas de me demander où était le piège.

Pourtant, le lendemain de la fête du travail, j'ai pris place dans la camionnette de mon père. Mes valises étaient empilées à l'arrière. Ma mère n'est pas venue avec nous. Il lui était difficile de voyager. En lui disant au revoir par la fenêtre, j'ai tout à coup eu peur. Peur qu'elle se rende compte de la joie que je ressentais à la voir rester. Je me suis demandé si ça n'était pas pour ça qu'elle refusait de venir. J'ai fait encore plus de signes. Je lui ai envoyé des baisers et je n'ai pas cherché à éviter, pour une fois, la scène des adieux.

Puis mon père m'a emmenée à Markson College, s'est mis à parler mais a très vite renoncé et m'a finalement laissée. J'étais la première arrivée. Ma compagne de chambre n'était pas encore là. Qui qu'elle puisse être. Il était midi, mais la cafétéria n'ouvrait pas avant l'heure du dîner. J'ai donc mangé une pomme que j'avais apportée avec moi et quelques figues Newton que ma mère avait glissées dans ma valise. Elles m'ont rendue nostalgique au moment où je m'y attendais le moins. Chaque bouchée me faisait mal à la poitrine. J'ai dû finalement les cacher au fond d'un tiroir. Puis j'ai sorti mes affaires. J'ai fait mon lit. J'ai parcouru le couloir en tous sens pendant un moment, tout en jetant un coup d'œil dans les chambres désertes. J'ai passé une demi-heure à mon bureau, à regarder le ciel vide par la fenêtre. J'avais également apporté des rideaux, mais je ne voulais pas les installer sans l'accord de ma compagne de chambre. Le temps passant, je me suis décidée à les pendre. Je les ai dépliés. J'ai enlevé mes chaussures et je suis montée · sur le radiateur. Les bras en croix contre la fenêtre, j'ai jeté un coup d'œil dans la cour. Et j'ai vu mon gros cousin Clarence qui se dirigeait nonchalamment vers mon dortoir — de cette démarche lourde et oscillante qui lui était caractéristique.

Je savais depuis le début qu'une évasion ne serait pas chose facile.

Mon père était à l'hôpital. Il avait eu un accident sur le chemin du retour. Les docteurs n'étaient pas tant inquiets de la gravité de ses blessures que de la crise cardiaque qui avait causé l'accident. Peut-être était-ce l'accident qui l'avait provoquée. Je ne crois pas qu'ils aient jamais pu dire exactement ce qui s'était passé.

Nous sommes restées pendant trois semaines à son chevet. Maman sur sa chaise de jardin que Clarence avait apportée et moi, dans un fauteuil. Nous observions le visage de papa, qui avait un air étrange dans cette position horizontale. Sa peau était fanée autour des yeux. Prononcer quelques mots le fatiguait. Il dormait la plupart du temps et ma mère pleurait. Je restais assise en souhaitant qu'il se réveille pour que je puisse le connaître. Je ne pouvais pas supporter l'idée de l'avoir laissé passer près de moi pendant toutes ces années. J'ai fait tout un tas de promesses, comme celles qu'on fait en pareilles circonstances. J'apportais du thé et des beignets recouverts de sucre glacé à ma mère —

les seules choses qu'elle pouvait avaler et garder. Je parlais avec les docteurs et les infirmières. J'essayais de lire différents magazines féminins mais tous les potins concernant le maquillage, la ligne et autres fanfreluches me rendaient malade. Je ne me souviens pas d'avoir mangé quoi que ce soit. Mais j'ai dû certainement manger quelque chose.

Puis ils l'ont laissé regagner la maison. En ambulance seulement. Nous avons installé un lit dans son studio et nous l'avons allongé à plat. Son visage a perdu de son aspect crayeux. Il s'est mis à agir plus naturellement, à se plaindre du bandage qui maintenait ses côtes fracturées et qui le démangeait. Il était ennuyé de savoir qu'on renvoyait les clients. « Charlotte, a-t-il dit, tu sais te servir de cet appareil. J'aimerais que tu me remplaces pendant une semaine ou deux, jusqu'à ce que je sois sur pied. Tu crois que tu peux y arriver ? »

J'ai dit oui. J'étais complètement abrutie à ce moment-là. Maintenant qu'il était sorti d'affaire, je comprenais enfin où j'étais : à la maison, prisonnière. Pas d'issue. Ma mère n'arrivait même pas à le redresser sans mon aide. Je voyais ma vie se dérouler devant moi comme un tapis moisi, sans fin.

J'avais l'impression que les photos momifiaient une personne, la clouaient sur papier comme un papillon. Pourquoi les gens en voulaient-ils ? Mais ils en voulaient apparemment. Pauvres mères en robes de rayonne, tenant dans leurs bras des bébés trop bien habillés ; soldats enlaçant la taille maigrichonne de leurs petites amies aux cheveux frisés. Je les photographiais indifféremment. L'appareil était lourd et vieux. Presque tous les maniements devaient se faire dans l'obscurité. Mais je m'en étais servi toute ma vie. Je ne comprenais pas pourquoi mon père était si angoissé et devenait tout à coup si critique. « Déplace un peu cette lampe », me disait-il de son lit. « Tu ne veux pas d'un éclairage aussi aveuglant. Maintenant, cadre en grand ta photo. Je n'ai jamais aimé photographier uniquement un visage. »

Ce qu'il aimait, c'était un regard de biais — yeux baissés, visage incliné vers le bas. La vitrine où il exposait ses clichés ressemblait à un champ couvert de fleurs, toutes courbées par la même brise violente.

Dans la chambre noire (un placard réaménagé), il m'arrivait d'étouffer. Je grinçais des dents et je supportais, tout en développant les négatifs mécaniquement. Tout, dans cet endroit, était déprimant : cabossé, écaillé ou percé. Les étiquettes manquaient sur les bouteilles de produits chimiques. Rien n'était à sa place. On aurait dit que mon père s'en moquait, comme moi.

Mais on ne l'aurait jamais deviné à sa façon d'agir. Il râlait, râlait, remettait en question mes moindres gestes. Quand le moment arrivait de lui montrer mes clichés, il me demandait de les pendre à la corde à linge, tendue près de son lit. Alors s'installait un long silence désapprobateur pendant lequel, allongé, il étudiait les clichés en fronçant des sourcils et en tortillant sa moustache. « Oui », finissait-il par dire. « De toute façon, ces gens n'ont aucun goût. » Je ne pensais pourtant pas avoir fait un aussi mauvais travail que ça.

En fait, je crois que de nombreux clients me préféraient à mon père. Il avait par-dessus tout trop d'idées préconçues. Il continuait de faire poser les enfants devant sa colonne ionique. Je les photographiais comme ils voulaient. Je n'avais aucune idée sur ce plan-là.

Nous habitions une portion de plus en plus

restreinte de la maison, maintenant. Nous avions condamné tous les étages que mon père ne pouvait plus atteindre, toutes les chambres que nous ne pouvions plus chauffer. Notre voisinage s'était également restreint. La camionnette était sur cales, à l'arrière de la maison. Ni maman ni moi ne savions conduire de toute façon. Nous faisions donc nos courses à pied. Et personne ne venait nous rendre visite. Les Emory, nos voisins, avaient déjà déménagé. Les autres voisins nous trouvaient étranges. Tous mes amis étaient au collège ou mariés, éloignés de moi pour toujours. A tel point que j'accueillais les visiteurs les plus inattendus comme des amis de longue date, depuis longtemps perdus.

Mais je savais qu'ils nous regardaient bizarrement. Je connaissais bien l'image que nous donnions : une grosse mère avec des bas à élastiques, un père ratatiné et une vieille fille rébarbative. Une maison où tout s'égarait sous quelque chose d'autre et où des chauves-souris devaient certainement vivre dans les tourelles.

Markson College m'a envoyé une lettre m'annonçant que je pouvais commencer en janvier, si je le désirais. Je ne sais pas ce que j'espérais. Qu'ils ferment l'école peut-être, jusqu'à ce que je puisse reprendre mes cours. Mais ils ne m'ont même pas dit qui était ma compagne de chambre. J'ai décidé qu'elle devait avoir trouvé quelqu'un d'autre depuis. J'ai eu le sentiment que plus rien ne marcherait jamais pour moi. Tous les clients qui posaient, la tête en bas, dans le verre dépoli de mon appareil semblaient plus heureux que moi.

En décembre, les docteurs ont déclaré que mon père pouvait quitter le lit. Il a immédiatement enlevé toutes les photos que j'avais prises et les a remplacées par les siennes. On sentait que ça l'avait

constamment démangé. Il était là, dans ses pantoufles en velours côtelé, le chandail accidentellement
pris dans son pantalon, et désignait du doigt les
photos qu'il avait prises il y a vingt ans. « Voilà une
belle... Je me souviens. C'était un homme très
important. Il a occupé plus tard une position élevée
dans le gouvernement du comté. Je crois qu'il est
venu me voir parce qu'il savait que je faisais
d'honnêtes portraits. Tu vois, Charlotte, je n'aurais
jamais tenu grâce à ces photos *retouchées.* Ça n'a
aucun sens de faire croire à quelqu'un qu'il est ce
qu'il n'est pas. »

Ses vêtements l'engloutissaient. Ses cheveux gris
avaient pris la couleur du tabac. Sa peau était fripée
et pendait. Mais je n'arrivais pas à obtenir de lui
qu'il se repose. Il sortait de plus en plus de photos,
les épinglait au tableau, les faisait tenir sur les
étagères ou sur les établis : hommes d'affaires,
jeunes diplômés, cercles de dames de l'ancien
temps. Les photos se raréfiaient quand on en
arrivait aux soldats et aux bébés trop bien habillés.
Même les bébés avaient un air sérieux sur ses
photos et les soldats se tenaient raides comme des
pères de famille, près de leurs petites amies.
L'expression de chacun était rêveuse et voilée ;
l'attitude, parfaite. Personne ne souriait. Je ne
l'avais jamais remarqué. J'ai dit : « Regarde ! On
dirait un vieil album de famille démodé !

— Un honnête portrait n'est jamais démodé »,
m'a répondu mon père.

J'avais peur qu'il ne nous prépare l'un de ses
accès d'humeur. Je voyais bien qu'il faisait sécher
les nouveaux clichés à la va-vite, sans même les
regarder. Qu'il en sortait de plus en plus de son
dossier vert, fané, au chevet de son lit. « Regarde,
voilà une... c'était un... cet homme m'a commandé

quarante clichés ; pour te dire combien il aimait ce que je faisais !

— C'est très bien, papa. » Je voulais simplement qu'il arrête de s'agiter ainsi. Constamment. Je me fichais éperdument de toutes ces photos — des siennes comme des miennes. Je lui ai dit : « Tu ne devrais pas aller te reposer, à présent ?

— Demande à ta mère ce qu'elle a fait de mes vieilles plaques », m'a-t-il répondu.

Je suis allée à la cuisine trouver maman qui regardait la télévision sur sa chaise de jardin. « Papa veut ses vieux négatifs, lui ai-je dit.

— Quels négatifs ? Pourquoi venir me les demander, à moi ? Je ne comprends pas pourquoi il garde tout ce fourbi, de toute façon, a-t-elle répondu. Ils sont là, empilés les uns sur les autres. Ils se cassent sous leur propre poids. Et tu sais, entre nous, tous ces gens ne passeront plus jamais de commandes. Ils sont tous morts, ou presque. »

Je suis retournée au studio. « Elle ne les a pas vus. » Mon père était en train de trier des photos — des groupes posant devant une église — dans une boîte à chaussures. D'après le regard qu'il m'a lancé, on aurait pu croire que j'avais égaré ses négatifs. Je ne comprenais pas pourquoi il était si monté contre moi.

Cette nuit-là, j'ai rêvé que j'étais allée à Markson College. Que je l'avais trouvé fermé et à l'abandon. Ses cours répercutaient le bruit de mes pas. Mais au réveil, je me suis à nouveau sentie bien. J'ai enfilé mon peignoir de bain et je suis descendue à la cuisine pour préparer le café. Pendant qu'il chauffait, j'ai regardé le soleil se lever à travers un bosquet d'arbres recouverts de givre. Puis j'ai rempli deux tasses — une pour moi, une pour mon père — et je les ai apportées dans le studio. Mon père était dans son lit, sous sa couverture étale. Il ne respirait pas. Il était entouré par les photos de ces gens qui ne souriaient pas. Mais aucun d'entre eux n'était aussi immobile que lui.

L'oncle Gérard s'est occupé des obsèques. Il y a assisté avec tante Aster, (je ne me souviens pas des autres personnes et même s'il y en avait) pendant que je restais auprès de maman, qui partait en morceaux. Je pensais à elle comme à quelqu'un qui partait en morceaux, car elle semblait tout mettre en morceaux, tout emporter avec elle dans son chagrin. Elle était assise et plumait un coussin jusqu'à ce que tout le rembourrage soit éparpillé sur le tapis. Elle arrachait les feuilles des plantes vertes jusqu'à ce qu'elles soient parfaitement « chauves », puis elle roulait chaque feuille et la déchiquetait. Parfois, elle passait rêveusement les doigts dans ses cheveux et en arrachait des touffes. Je ne savais pas quoi faire. Hormis lui tenir les mains et lui dire : « Ça suffit, maintenant.

— J'ai toujours su que ça finirait ainsi », m'a-t-elle confié. Sa voix avait perdu tout timbre. On ne peut pas imaginer l'impression que ça fait d'entendre quelqu'un énoncer de telles phrases, de cette façon-là. « C'est ce dont j'ai toujours eu peur. Me voilà seule, sans mari. Pour toujours. »

Je me suis dit qu'elle devrait être soulagée, qu'elle n'avait plus rien à craindre, maintenant. Mais, bien sûr, je ne le lui ai pas dit. J'ai tapoté son bras. Je lui ai servi son thé. Et je me suis rendue chez mon oncle, dès qu'elle s'est endormie. J'étais désespérée. Janvier n'était plus très loin. « Oncle Gérard, il faut que j'aille au collège, lui ai-je dit.

80

— Au collège ? » s'est-il exclamé en allumant l'un de ses abominables cigares.

« Ils m'ont accordé une bourse partielle et vous savez que nous n'avons pas d'argent. Je dois vous demander un prêt.

— Très bien, mon trésor. De l'argent, mais bien sûr, a répondu l'oncle Gérard. Mais que comptes-tu faire de ta maman ?

— Je ne peux pas rester toute ma vie avec elle.

— Comment ça ! Elle est *meurtrie*. Et tu voudrais l'abandonner à un moment pareil ?

— Peut-être pourrait-elle s'installer chez vous ?

— Avec *Aster* et moi ?

— Peut-être pourriez-vous seulement aller la voir de temps à autre ? Ou bien dire à Clarence de venir s'installer chez nous. Je veux dire, juste pour...

— Écoute-moi. Voilà ce que je te propose », m'a dit l'oncle Gérard en posant ses mains à plat sur ses grosses cuisses. Il s'est penché vers moi. Il sentait le caoutchouc brûlé. « Tu as quel âge ? Dix-sept ans ? Dix-huit ans ? Regarde-toi. Tu as toute la vie devant toi. Donne-toi un temps de répit. Reprends l'école l'automne prochain. Qu'est-ce qu'une année pour quelqu'un de ton âge ?

— C'est un dix-huitième de ma vie.

— Et je vais te dire ce que je vais faire. Attends septembre prochain et je paierai toutes tes dépenses. D'accord ? Pas de prêt. C'est un marché, compris ?

— Merci, oncle Gérard. » Je me rendais bien compte de ses bonnes intentions. Il n'était pas si riche, après tout. Il possédait une entreprise de nettoyage à sec. Mais quand je suis partie, je ne suis pas arrivée à dire au revoir à tante Aster, avec ses cheveux d'or et sa peau bien soignée. J'ai fait semblant de ne pas l'entendre lorsqu'elle m'a appelée de la cuisine.

Maman n'allait pas mieux. En fait, je me demandais si ça serait suffisant d'ici à septembre. Je me sentais prise dans un calendrier. Le temps était finalement l'espace le plus clos qui soit. Je devais aider maman à s'habiller chaque jour et lui répéter les mêmes choses. Elle ne savait parler que de papa. « Je l'ai épousé par désespoir, me disait-elle. Je me suis fixée à cause de ce que je pouvais y gagner. Ne te *fixe* jamais, Charlotte.

— Non, maman. »

Elle n'avait pas besoin de me le dire.

« Dès le début, il a eu quelque chose contre moi. Je ne sais toujours pas ce que c'était. Il aimait une femme forte, disait-il, mais au bout d'un temps il m'a poussée à moins manger. J'étais si surprise qu'il soit comme ça. Mais j'ai essayé. Oh, pour lui, j'ai… j'ai cent fois sauté mes repas ; je me suis affaiblie et j'ai eu des vertiges en tentant seulement de me restreindre. Et puis, je ne sais pas, mais il a fallu que je recommence à manger. Je suis faite comme ça. J'ai besoin de manger, plus que d'autres. Oh, de toute façon, ça n'y aurait rien changé. Il n'était pas satisfait, Charlotte. Que pouvais-je faire de plus ?

— Je ne sais pas, maman.

— Crois-tu qu'*il* avait l'impression d'être fixé ?

— Bien sûr que non, maman.

— Il le disait tout le temps : " Oh, pourquoi suis-je englué dans cette vie-là ? " Et je lui répondais : " Pars, pars, qui te demande de rester ? Va ailleurs si tu ne te plais pas ici. Épouse une fille perdue. " Mais il ne faisait que me regarder fixement par-dessous ses sourcils et ne disait plus un mot. " Je te trouverai une femme, *moi-même* ", lui disais-je. Ça m'aurait pourtant achevée, Charlotte. Ça n'est pas comique ? » Rires. « Il avait la plus douce et la plus triste des expressions. Il avait une façon bien à lui de lever la tête quand il écoutait les gens. Oh, Charlotte, était-il vraiment heureux, tu crois ?

— Mais oui, maman. Il était heureux, bien sûr. » Il fallait à ce moment-là que je sorte. Il le fallait. j'allais dans le studio où les photos de mon père continuaient d'éviter mon regard. L'enseigne de métal dentelé se balançait toujours à l'extérieur : *STUDIO AMES — BEAUX PORTRAITS*. Parfois des gens venaient sonner à la porte. Je les laissais entrer, n'ayant rien de mieux à faire. Je photographiais tout ce qu'ils voulaient que je photographie. « Pouvez-vous prendre notre caniche en photo ? Il est vieux et nous aimerions avoir un souvenir de lui au cas où il viendrait à disparaître. » Je sentais mon père tressaillir et se retourner dans sa tombe. Mais je n'irai pas jusqu'à dire que ça me dérangeait vraiment. En plus, nous avions besoin d'argent.

Nous avons gagné juste de quoi nous nourrir, cet hiver-là. Oncle Gérard nous glissait de temps à autre quelques billets de dix dollars, mais ils suffisaient à peine pour payer les médicaments de maman, pour sa tension. En désespoir de cause, j'ai dû finalement mettre une pancarte *CHAMBRES A LOUER* et un veilleur de nuit, Mr Robb, a loué la chambre de devant, côté est. Il ne l'aimait pas beaucoup. Il disait que la maison n'était pas assez chauffée. Il a déménagé trois semaines plus tard. La pancarte s'est lentement couverte de poussière. J'ai essayé de travailler un peu plus au studio. J'ai demandé à tous mes clients de parler de nous dans leur entourage, mais ça n'a pas donné grand-chose. Je crois que le seul fait de voir maman les faisait fuir. Elle avait la manie d'entrer en plein milieu d'une pose. Elle se traînait en s'agrippant aux meubles. Je pouvais dire avec précision le moment où elle entrait, d'après l'expression de surprise que je lisais sur le visage de mon client.

« C'est étonnant, disait-elle, comme tous les coins du monde s'accordent simultanément pour proclamer que quelqu'un est mort. Tu ne trouves pas ? Je veux dire que... si un homme meurt dans une pièce, son repas restera intact dans une autre pièce. Il ne se présentera pas au rendez-vous qu'il a pris chez son docteur. Les photos qu'il triait resteront en tas. Il n'y a jamais de fautes. Le monde a tout prévu, à la perfection.

— Ma mère, disais-je au client. Tournez-vous un peu vers la lumière, s'il vous plaît.

— Mais je n'ai jamais cru vraiment aux choses physiques, poursuivait ma mère. Il m'est arrivé souvent de poser une tasse et de la laisser quelque part. J'ai été surprise de la retrouver au même endroit deux semaines après. On pourrait se dire qu'il y a eu une erreur. Une seule fois. La tasse a oublié. Elle est retournée sur l'étagère quand je l'ai à nouveau regardée. Ou la pesanteur : on pourrait croire qu'il est possible de prendre la pesanteur par surprise. Juste une fois. Poser soudainement un plateau en l'air et le voir suspendu. N'est-ce pas ? »

Le client s'éclaircissait la gorge.

« Je constate que je n'ai jamais fait beaucoup crédit au monde », disait ma mère. Et elle repartait en se traînant.

Certains jours abominables, je ressentais une brusque envie de m'en aller. Mais jamais je ne suis partie, bien sûr.

Un après-midi, à la fin du mois de mars, la sonnette de l'entrée a retenti. J'ai ouvert la porte à un grand soldat. Il tenait sa casquette à la main. Il avait des cheveux bruns et raides et ce genre de visage fermé qui garde ses secrets — un visage Emory. Mais je ne savais pas très bien lequel. J'ai dit : « Amos ?

— Saul, a-t-il rectifié.

— Saul !

— Salut, Charlotte. »

Il n'a pas souri. (Les Emory sourient rarement. Ils semblent seulement paisibles.) « J'ai vu ta pancarte, a-t-il dit. Je suis venu en ville pour affaires. Et je me demandais si je pouvais louer une chambre chez vous en attendant de trouver autre chose.

— Bien sûr. Nous serions très heureuses de t'héberger.

— J'ai entendu dire que vous aviez eu des ennuis, cet hiver.

— Oui, quelques-uns. »

Saul a simplement hoché la tête. Les Emory avaient l'habitude d'avoir des ennuis. Pas besoin d'en faire toute une histoire.

Voilà comment nous connaissions les Emory : La mère, Alberta, était une femme qui n'avait pas de secrets. Elle racontait tout à tout le monde, même à nous. Elle nous apportait un gâteau ou un bol de mûres et passait la moitié de la matinée sur le seuil de la cuisine, à parler de sa douce et charmante voix. Elle parlait de son mari, Edwin Emory, le réparateur de radios , qui buvait plus qu'il ne travaillait. De ses quatre gaillards de fils : Amos, Saul, Linus et Julian. Julian avait mon âge. Les autres étaient plus âgés. Les hommes de cette famille étaient méchants et mystérieux, mais grâce à Alberta, nous savions toujours ce qu'ils avaient en tête. Amos n'arrêtait pas de faire des fugues. Saul avait beaucoup d'ennuis avec les filles. Linus était sujet à d'inexplicables accès de rage et Julian était enclin à jouer. Je ne crois pas qu'un seul jour de leurs vies ne se soit écoulé sans qu'il ne leur arrive quelque chose de compliqué.

Cette Alberta était du genre bohémienne. Belle sous certains aspects et vêtue n'importe comment. Molle et étonnamment jeune. L'été, elle marchait souvent pieds nus. Inutile de dire que je l'aimais. Je ne perdais pas un mot de ce qu'elle me racontait. « Et alors ? Et alors ? » j'aurais aimé qu'elle m'adopte. Je rêvais de sa maison turbulente, pleine de vie, de ses remarquables ennuis. Car les ennuis allaient à Alberta comme la richesse. « Regarde, semblait-t-elle dire, comme ma vie est importante. Regarde combien je suis bénie par les événements. Elle levait alors ses mains chaudes et brunes et déversait son or.

« Cette femme n'a aucun bon sens », disait sa mère.

Maman voulait dire, je crois, qu'elle aurait dû faire preuve de plus de bon sens lorsqu'elle était dans l'ennui. Maman aurait certainement pu l'aimer davantage, si Alberta était venue pleurer de temps à autre dans son giron. Mais Alberta ne pleurait jamais. Elle racontait ce qui lui était arrivé, entre deux crises de fou rire : scandales, désastres, miracles, mystères. Quelqu'un entrait par effraction dans le magasin de radio et le vidait, en laissant juste un mot derrière lui : « Désolé pour le dérangement. » De l'écriture de Julian. Son beau-père arrivait un beau matin avec toutes ses affaires. Soixante ans de coupures de journaux, de vieux costumes de théâtre. Et puisqu'il n'y avait pas de chambre d'amis, il s'installait dans la salle à manger, entouré de ses capes en fausse hermine, de ses uniformes militaires, de ses épées, de ses couronnes, de ses cartons à chapeaux. A n'importe quelle heure du jour ou de la nuit, il appelait Alberta pour qu'elle lui serve de petits repas diététiques.

« Cette maison devrait être condamnée et barricadée », disait ma mère.

L'hiver de ma deuxième année de collège, Alberta s'est enfuie avec son beau-père.

Ça n'est pas le genre de choses qui vous arrive tous les jours. Edwin Emory allait et venait, l'air hagard. Mais il ne semblait pas plus hagard que moi. Je n'arrivais pas à comprendre pourquoi elle les avait laissés tomber (pourquoi elle *m*'avait laissée tomber). Je la croyais très heureuse. Mais j'avais aussi coutume de croire que les quatuors vocaux que j'écoutais à la radio n'étaient chantés que par un seul et même homme à la voix rocailleuse. Je veux dire par là que je me laissais facilement tromper par les apparences. Peut-être que toutes les familles, même celles qui semblent les plus normales, étaient aussi bizarres que la nôtre, dès qu'on y regardait de plus près. Peut-être qu'Alberta était tout aussi secrètement triste que ma mère. Ou, peut-être, comme le disait maman : « Cette femme veut simplement qu'on lui envie tout ce qu'elle a, même son beau-père négligé. » Je ne m'étais jamais posé le problème de cette façon-là.

Pendant un temps, j'ai apporté des gâteaux et des petits plats aux Emory, mais je n'ai jamais eu beaucoup de réaction. Leur maison s'est repliée sur elle-même, est devenue silencieuse. Edwin passait ses journées à boire du muscat, dans ses sous-vêtements en thermolactyl, pendant que Linus essayait de faire marcher le magasin. Saul et Amos avaient quitté la maison depuis longtemps. Mais tout ce qui était mécanique déprimait Linus. Il a fait une dépression nerveuse et il a fallu l'envoyer vivre chez l'une de ses tantes. Et puis Julian a quitté l'école. Il s'est ensuite bagarré pour une dette de jeu et on n'a plus jamais entendu parler de lui. Enfin, Edwin est parti. Nous ne savions pas exactement où et quand. Il n'était plus là, un point c'est tout. Un jour, je me suis penchée, tout à fait par hasard, à la fenêtre, et j'ai vu un étranger barricader la maison des Emory, comme maman avait toujours dit de le faire. Et ça a été le point final.

Du moins, nous l'avons cru. Jusqu'à ce que Saul arrive à la maison. Saul portait un uniforme si raide et si cassant qu'il semblait métallique. Debout au milieu de la pièce, on aurait dit qu'il y avait pris racine. J'avais perdu de vue les Emory, mais ils ne semblaient pas pour autant avoir été réduits à néant. Bien que Saul ne puisse dire où se trouvaient deux de ses frères, il savait quand même qu'ils étaient tous vivants. Même Julian. Alberta et son beau-père étaient quelque part en Californie. Ils l'étaient du moins jusqu'à Noël dernier. Mais Saul s'en moquait. Seul Edwin avait disparu pour toujours. Il était mort d'une maladie du foie, au cours d'une visite chez sa sœur, dans le New Jersey. Maintenant, Amoco allait acheter la maison, la détruire pour y construire une station-service, emportant ainsi l'affaire sur Texaco. Et Saul était là pour conclure la vente, pour payer les arriérés d'impôts. Il voulait également vendre le magasin. Il accepterait la première offre, signerait les papiers et s'en irait, nous disait-il. Il venait de quitter l'armée et avait sa vie à faire. Il ne pouvait pas se permettre de gaspiller beaucoup de temps.

C'est ce qu'il a fait, pourtant. Régler le problème de la maison s'est révélé plus long et plus délicat que prévu. Imaginez un peu la difficulté pour un

Emory de retrouver un titre de propriété. Et puis un magasin délabré n'est pas une chose très recherchée. Il est resté pendant les mois de mars et d'avril. J'étais heureuse. Avec lui, la vie me semblait avoir un sens plus défini. Nous devions vivre selon un emploi du temps bien déterminé, lui préparer ses repas à heures fixes. Il était très bon bricoleur et réparait des objets dont nous avions besoin depuis des années. Le soir, il regardait la télévision avec moi et maman (elle ne le rejetait pas en dépit de ses manières réservées) ou bien il me sortait. Nous allions au cinéma, au restaurant ou au bar *B&B*. Il se comportait avec moi comme un frère, me tenait par la main. Sans plus. Mais il y avait quelque chose de calculateur dans ses yeux. Je ne savais pas ce qu'il attendait. En fin de soirée, je montais dans ma chambre et là, dans la glace, je retrouvais cette fille aux allures de collégienne, en chandail et en jupe. Je n'avais finalement rien d'une vieille fille rébarbative.

Bien sûr, je suis tombée amoureuse de lui. Comment pouvais-je faire autrement ? Avec ce visage serein et pur, ces yeux aux paupières lourdes ?

Pour la première fois de ma vie, j'ai compris que quelqu'un pouvait avoir tout un monde dans sa tête, et que je ne pourrais jamais le deviner. J'étais anxieuse de savoir ce qu'il pensait de telle ou telle chose. Quel effet ça lui faisait d'avoir une famille comme la sienne, une mère comme Alberta ? Qu'est-ce qu'il ressentait en passant devant sa maison — les volets pendaient, à peine retenus par leurs gonds ? Il ne me le disait jamais. Je n'osais pas le lui demander. A chaque fois que je le voyais, *j'avais envie* de le lui demander, mais j'avais tellement conscience de son individualité que ça ne me semblait pas possible. Nous nous limitions à des conversations banales : hypothèques ou robinets qui fuient. La véritable conversation se poursuivait en silence : il m'aidait à enfiler mon chandail comme s'il enveloppait un cadeau fragile. Il savait d'une certaine façon relever mes cheveux et les arranger comme il fallait sur mon col. Et j'ai dû gâcher au moins trois bols de pâte en essayant de faire les galettes de blé noir que confectionnait Alberta. Même ma mère prenait part à la conversation. Lorsque nous étions tous les trois réunis, elle se tendait et devenait immobile. Elle nous décochait des regards entendus. Nous étions tous les trois suspendus à un élastique. Et aucun de nous ne pouvait bouger sans faire bouger les deux autres.

Puis une nuit d'avril, en revenant du cinéma — Lana Turner dans je ne sais plus quel film —, nous sommes passés devant le magasin de son père. Une petite échoppe en bois, étroite, coincée entre un marchand de sandwichs et un cordonnier — vide pendant tout ce temps, noire comme une bouche édentée. J'aurais pu, en la regardant, éclater en sanglots, et Saul aurait réagi encore plus violemment. J'ai tendu la main et lui ai touché le bras. Il s'est immédiatement arrêté, m'a pris la main et a baissé les yeux vers moi. « Écoute », a-t-il dit.

Il m'a fait peur. J'ai cru qu'il était furieux que je l'ai touché, déséquilibré d'une certaine façon. Mais il m'a confié : « Tu sais que je n'ai toujours pas de travail. Charlotte. »

J'ai répondu : « Travail ?

— Et je n'éprouve d'intérêt pour rien, je crois. Je ne sais pas ce que je vais bien pouvoir faire de ma vie. J'attends de voir ce qui *va se passer,* mais jusqu'à présent rien ne s'est passé. »

90

Je ne savais pas où il voulait en venir. J'ai dit :
« Hmmm...

— C'est de toi et moi que je parle. Charlotte.

— Oh !

— J'ai le sentiment de devoir assurer mon avenir
avant de pouvoir te dire quoi que ce soit. »

Je ne comprenais toujours pas. Pour dire toute la
vérité, je pensais que c'était un prétexte. J'étais
habituée aux liaisons de collège, aux amitiés où
l'avenir n'avait pas sa place. « Eh bien, lui ai-je
déclaré, c'est tout ce que tu attends ? Je te préfère
sans avenir. »

Mais j'aurais pu tout aussi bien me taire, car son
visage s'est fermé pendant le trajet du retour. Il m'a
quand même tenu la main et m'a embrassée, sur le
seuil. Une seule fois et très sérieusement — comme
quelqu'un de bien, bien plus âgé que moi. Ce qu'il
était d'ailleurs. J'étais si jeune ! Je ne pensais pas du
tout à l'avenir. Je pensais seulement qu'il était
étrange de toucher des domaines comme ceux-là,
de derrière nos intimités respectives. J'aurais pu
rester là toute la nuit, la tête contre son épaule
laineuse. C'est Saul qui a finalement dit que nous
devrions rentrer.

Ma mère s'est mise à se condenser en quelque
sorte, à rapetisser, à se dessécher. Elle avait peur.
Je voyais bien la façon dont elle observait Saul, de
ses yeux brillants et voilés. Plus il était gentil avec
elle, plus elle l'observait attentivement. Quand il lui
posait une question, il lui fallait du temps pour
répondre. Elle devait s'extirper de tant d'enveloppes d'angoisses et de peur. La nuit, quand je l'aidais
à se mettre au lit, elle me tenait le poignet très fort
et me scrutait, bougeait les lèvres et ne disait rien.
Puis je descendais et Saul saisissait ce même poignet
et m'attirait vers lui. Pendant une seconde, j'étais

toujours affolée. « Que se passe-t-il ? », me demandait-il, mais je ne lui répondais jamais.

J'essayais toujours de le comprendre. Ça n'était
pas facile. Il lui manquait cette insouciance que
j'avais tant attendue, que j'aurais tant aimé lui voir.
Il était par-dessus tout trop sérieux. (Quand j'étais
au collège, on nous demandait constamment d'avoir
le sens de l'humour.) Il me traitait d'une manière
grave qui me rendait timide. Je n'arrivais pas non
plus à comprendre cette histoire de travail. Il
semblait attendre que le travail de sa vie lui tombe
dessus comme le destin. Il était si confiant. « Peut-
être devrais-tu aller à la rencontre de ta chance »,
lui disais-je en ne blaguant qu'à moitié. « A ta
place, c'est ce que je ferais. Oh, que j'aimerais le
faire avec toi ! Pars demain. Pars n'importe où !

— Non, tu ne viendrais pas avec moi, rétorquait-
il. Quitter ta mère ? A ce stade de sa vie ? »

Je ne sais pas comment cet homme-là pouvait
être l'un des fils d'Alberta.

Au mois de mai, il m'a acheté une bague de
fiançailles. Il l'a sortie de sa poche un soir, alors que
nous dînions tous les trois — un petit diamant. Il ne
m'en avait pas parlé. Je l'ai simplement regardé
quand il me l'a glissée au doigt.

« J'ai pensé qu'il était temps, m'a-t-il dit. Je suis
désolé, Mrs Ames. Je ne peux pas attendre plus
longtemps. Je veux l'épouser. »

Maman a dit : « Mais, je...

— Ça ne sera pas tout de suite. Je ne l'enlève pas
demain. Je ne sais toujours pas quel genre de travail
je vais faire. Nous resterons ici aussi longtemps que
vous aurez besoin de nous, croyez-moi. Je vous le
promets.

— Mais... », a dit maman.

Ça a été tout.

J'aurais dû refuser. Je n'étais pas désespérée, après tout. J'aurais dû lui dire : « Je suis désolée. Je ne suis pas faite pour toi. Je n'ai jamais eu l'intention de prendre en charge une seconde personne pour ce voyage. » Mais je n'en ai rien fait. Il était assis près de moi. L'odeur de cuir, l'étrange odeur de sa peau exsudait tant d'amour que j'en étais, me semblait-il, corrompue. Tout ce qu'il disait était bizarrement clair, comme s'il l'avait dit dans un air froid et vif. Il ne m'est pas du tout venu à l'esprit de le repousser.

7

Je me suis réveillée avec le sentiment d'être bercée, secouée. Je me suis redressée. J'ai regardé autour de moi. Le soleil était si violent qu'il m'a fait mal aux yeux. Mais je pouvais voir quand même que nous étions garés dans un champ marécageux, couleur de paille. Jake était au volant et marmonnait. Deux hommes en veste de coton poussaient de toutes leurs forces à l'arrière de la voiture. « Maintenant ! » a crié l'un d'entre eux. J'ai entendu le bruit sourd de leurs corps contre la carrosserie. Les roues ont tourné.

« Imbéciles ! » s'est exclamé Jake en coupant le moteur.

« Si seulement ils pouvaient pousser tous les deux en même temps. Rien qu'une fois...

— Qu'est-ce qui se passe ? » lui ai-je demandé.

Il m'a lancé un regard — yeux plissés en amande. Et il est sorti de la voiture. « C'est de ce tracteur là-bas qu'on a besoin », l'ai-je entendu dire aux deux hommes. « Vous n'avez qu'à l'amener derrière la voiture et à la pousser avec.

— Un tracteur ? Quel tracteur ? » a demandé l'un des deux hommes. « Vous voulez parler de ce truc-là ? Ça n'est qu'un engin de douze chevaux. Ma femme s'en sert pour le jardin potager. Vous croyez qu'on va vous sortir avec ça ? Ça n'est pas possible de se ranger derrière vous, de toute façon. Le talus est trop abrupt, à l'arrière.

— Tirez-la par-devant alors. Je m'en fiche.

— La tirer non plus. C'est un jouet que vous êtes en train de regarder. Cette chose-là ne peut même pas transporter le purin correctement.

— Écoutez-moi, a dit Jake. Je parie vingt dollars que vous pouvez y arriver si vous vous y prenez bien. »

Par le pare-brise arrière, je l'ai vu tendre de l'argent à l'homme à la casquette écossaise, rouge. De petits nuages de buée sortaient de leurs bouches. « *En coupures d'un dollar ?*

— L'argent, c'est de l'argent.

— Bon, je crois qu'on peut toujours essayer. Viens, Cade. »

Cade et lui ont traversé le champ. Jake a repris place dans la voiture. Il a fait pénétrer une bouffée d'air frais avec lui. J'ai frissonné. J'ai croisé les bras sur la poitrine. Je me sentais disloquée. J'avais en quelque sorte perdu toute une nuit. « Où sommes-nous à propos ? ai-je demandé.

— Si tu regardais par la fenêtre, tu verrais que nous sommes dans un champ de blé.

— Comment avons-nous fait pour atterrir là ? C'est ce que je veux dire.

— Je crois que je me suis endormi au volant », a dit Jake. Il s'est frotté le menton qui était à présent couvert de petits poils. « En fait, j'ai dû... mais ça n'a pas de sens. Je ne m'endors jamais au volant, vois-tu. Je n'ai pas besoin de dormir autant que les autres. Je peux rester debout toute une nuit et être à mon travail le lendemain matin. Comme d'habitude. Rester encore debout la nuit suivante si j'en ai

96

envie. On est seul de temps en temps. Tout le monde endormi et soi seul éveillé. Et puis voilà : je conduisais sans penser à rien et, tout à coup, je me suis retrouvé dans un champ de blé. Au milieu de la nuit. Personne à proximité. Et tu étais morte pour le monde entier. Il ne me restait plus qu'à me rendormir. Ce que j'ai fait. J'ai dormi un peu jusqu'à ce matin. Et puis j'ai vu ces types arriver à travers l'avoine.

— Le blé », ai-je rectifié quoique, pour être honnête, je ne sache pas faire la différence. J'ai cligné des yeux et j'ai regardé les épis jaunes.

J'ai vu l'homme en casquette se diriger vers nous sur son petit tracteur. Cade marchait à ses côtés en balançant quelques anneaux de corde. « Regarde bien, maintenant, m'a dit Jake. Ce bébé va nous sortir de là, aussi vite qu'un criquet. Attends un peu. Je me suis déjà trouvé dans des endroits bien plus difficiles. » Il a baissé sa vitre et a crié : « Soulevez-la, les gars. Prenez-la gentiment et doucement. Ne tirez pas trop fort ! »

Les hommes l'ont ignoré et ont poursuivi leur travail. Jake ne sait pas y faire avec eux, me suis-je dit. J'avais honte d'être surprise en sa compagnie. Je me suis tassée un peu plus dans mon siège. Comme ça, je ne voyais pas les deux gars qui nous remorquaient. Je l'ai quand même senti. J'étais dans cette voiture depuis si longtemps, qu'elle m'était devenue comme une seconde peau. J'ai senti — ou j'ai cru sentir — leurs mains noueuses tripoter le pare-chocs, y passer une corde râpeuse et l'y attacher. Puis Cade s'est approché de la vitre de Jake ; « Vous faites descendre la dame ? » a-t-il demandé.

Jake a réfléchi une minute. « Nooon », a-t-il dit péremptoirement.

« Ça ferait quand même moins lourd.

— Sa portière est cassée, a dit Jake. Ne vous occupez pas de ça. » Il a tourné la clef de contact. Cade a reculé. Le moteur du tracteur a augmenté de régime — bourdonnement plaintif et aigu. J'ai senti la corde se tendre. Nos pneus ont dérapé en sifflant. Nous avons avancé de quelques centimètres. Puis nous avons été secoués. Et j'ai entendu un *clang!* La voiture s'est immobilisée. Je me suis redressée. J'ai regardé par la fenêtre. Juste à temps pour voir notre pare-chocs rouler dans l'herbe. « Bon Dieu! » a hurlé Jake.

Le tracteur s'est arrêté. Le conducteur a glissé de son siège. Les deux hommes sont revenus en se grattant le cuir chevelu. Jake est sorti de la voiture. Il est allé les rejoindre. Tous les trois se grattaient à présent le cuir chevelu et regardaient, en fronçant des sourcils, la place originale du pare-chocs. « C'est une authentique Woolworth 1953 », a dit Jake. Les hommes ont hoché la tête, comme s'ils prenaient note. « Et regardez ces pneus, aussi lisses qu'un tuyau d'arrosage. » Il a donné un coup de pied dans l'un d'eux. J'ai senti la secousse. Il y a eu un long silence solennel.

Puis : « Je vous le dis franchement, a dit le conducteur du tracteur, je suis vraiment désolé pour votre pare-chocs.

— Ça n'est pas de *votre* faute, a répondu Jake.

— Mais je me demande si nous ne pourrions pas la pousser, maintenant. Regardez. Elle est sortie de l'ornière, vous voyez? Le nez n'est plus aussi pointé vers le sol. Peut-être que la dame pourrait prendre le volant et qu'on pourrait pousser tous les trois. »

Jake est revenu et a passé la tête par la fenêtre. « Je ne sais pas conduire », lui ai-je dit avant même qu'il m'ait demandé quoi que ce soit.

« Tu sais où se trouve l'accélérateur ?

— Non, je ne sais pas. Et, pire, je ne sais même pas où se trouve le frein.

— Mais si, tu sais. » Il est monté, a remis le moteur en marche. Il m'a indiqué du doigt le plancher : accélérateur, frein. « Mais ne freine pas trop, m'a-t-il dit, tant que tu n'as pas atteint la route là-bas. Tu la vois ? Tu ne peux pas la voir. C'est un petit chemin de ferme. Du gravillon. Nous allons la pousser dans cette direction-là. Elle *ne* peut *pas* grimper le talus qui la sépare de la route. D'accord ? Change de place. »

Il est descendu et j'ai pris sa place. « Elle n'est pas très bonne conductrice », a dit Jake et les deux hommes ont grogné. Je me rendais compte maintenant qu'ils s'entendaient très bien, tous les trois. Ils se tenaient, épaule contre épaule, résignés, et fixaient mes mains exsangues, sur le volant. Cade a dit : « N'ayez pas peur, ma petite dame. Allez-y doucement.

— Très bien.

— Vous ne voulez pas que la voiture s'enfonce un peu plus dans l'ornière ?

— Bien sûr que non. »

Ils se sont dirigés à l'arrière — hors de vue. Je les ai sentis s'installer derrière, contre le coffre. « Prête ? a crié Jake. Tu as le pied sur le frein ? » J'ai acquiescé.

« Quoi ?

— *Oui.*

— Passe la vitesse. »

J'ai passé la vitesse. Le moteur a changé de ton.

« Maintenant, accélère ! »

J'ai appuyé sur l'accélérateur. Les hommes ont poussé de toutes leurs forces, contre le coffre. Les roues ont grincé, tourné. Puis la voiture a avancé doucement, en cahotant. Elle a pris de la vitesse. Elle s'est libérée des hommes, a sautillé sur des pierres et des ornières, s'est frayé un chemin parmi les herbes qui l'éraflaient, laissant derrière elle un ruban jaune, aplati. J'ai regardé dans le rétroviseur. J'ai vu le ruban de terre et les hommes qui couraient en faisant de grands signes et en criant. Mais j'avais oublié de regarder devant moi. J'ai trouvé — un peu trop tard — le petit chemin de ferme, la bande de gravillons qui naissait et disparaissait très vite. Je me suis affolée. J'ai appuyé plus fort sur l'accélérateur. J'ai tiré sur le volant. J'ai changé de vitesse jusqu'à ce que je tombe sur celle qui fasse crisser les pneus, arrête le moteur et me jette, tête la première, dans le pare-brise. Jake m'a rejoint. Je l'ai aperçu à travers un nuage de petits ovales colorés qui nageaient dans un air sombre. J'avais une espèce de surface supplémentaire au milieu du front. « Tu vois ? m'a-t-il dit. Qui dit que tu ne sais pas conduire ? » Il est monté. J'ai regagné la place du passager, en état second. Il a remis le moteur en marche et a mené la voiture vers la route de gravillons. Il a fait signe à ses amis qui se dirigeaient vers nous, à travers champ. Ils ont fait des signes à leur tour. Nous nous sommes dirigés vers la route.

« J'ai une faim de loup, a déclaré Jake. Pas toi ? »

Mais je tremblais trop fort pour pouvoir lui répondre.

Nous avons pris notre petit déjeuner dans une station Sunoco : un sachet de tranches de bacon et deux gâteaux gélatineux, achetés à une machine automatique.

Je suis allée aux toilettes. Je suis restée un

moment devant la glace, au-dessus du distributeur de serviettes en papier. Il fallait que je me calme. Mes yeux me fixaient ; ils étaient étonnamment sombres. (Je m'attendais presque à ce qu'ils soient d'un gris aussi décoloré que ceux de Jake.) Mon visage semblait troublé et confus. Ça m'a soulagée de saisir mon sac et de retourner à la voiture.

Nous traversions un pays boisé, parsemé de fermes et de supermarchés tout neufs, à peine achevés. De temps à autre, nous nous retrouvions derrière un camion ou un tracteur sans pouvoir le dépasser. Jake se mettait alors à râler et à dire des choses du genre : pauvre con, plouc, arriéré mental, tête à claques.

« Je ne comprends pas, lui disais-je. Le Maryland n'est certainement pas le seul État à avoir des autoroutes à plusieurs voies séparées. C'est tout ce qu'ils ont comme routes, par ici ?

— Il y en a peut-être d'autres mais c'est celle que je *vais prendre*. Tu sais bougrement bien qu'il n'y aura pas un flic pour venir par ici. »

Je pensais qu'il avait bien trop confiance. Mais c'était vrai. Nous n'avons pas vu de patrouilles de flics. Simplement de vieilles Chevrolet, des Ford et ces éternels camions. Quand Jake explosait, tous les quarts d'heure environ, il s'arrêtait dans l'un de ces supermarchés et achetait quelque chose à manger. Des chips ou des biscuits. Je mâchais en cadence avec le chœur des réclames télévisées qui chantaient dans ma tête. Pendant ce temps, Jake remettait le moteur en marche, repartait et se retrouvait finalement derrière le même camion qui l'avait empêché de passer quelques instants auparavant. Et c'était toujours dans une montée, dans un tournant ou au moment où une voiture arrivait en sens inverse. Il jurait. Je continais de mâchonner. J'ai le don d'abandonner. Je n'avais plus qu'à faire semblant de me trouver sur un grand et lent tapis roulant, planant à travers la campagne, parsemé de publicités, à deux mètres environ d'un chargement de tondeuses à gazon.

Nous nous sommes arrêtés pour déjeuner dans un petit restaurant aux abords d'une ville. « Mais nous avons mangé toute la matinée, ai-je dit. Je n'ai pas faim.

— Ça ne fait rien. Je veux me reposer. »

Il y avait des usines et des cimetières de voitures, où que nous regardions. Le petit restaurant se trouvait sur un minuscule tablier de béton, comme si quelque chose l'avait peu à peu grignoté. A l'intérieur, tout n'était qu'aluminium et dorures, vinyl vieillissant. Le seul client en dehors de nous était un jeune homme. Il mangeait un hot-dog. La serveuse — femme au regard grave, aux lunettes à montures en fer blanc — a pincé les lèvres et a fait une mine dégoûtée en prenant la commande de Jake : tout ce qui était grillé, gras et salé. (Je commençais à connaître ses goûts en matière culinaire.) « Un café pour moi, c'est tout », ai-je dit. La serveuse a reniflé et s'est éloignée.

Quand elle est partie, j'ai tendu la main vers un tabouret, près de moi, et j'ai pris un journal — lu, mal replié, mais entier. « Tu veux la page des dessins ? » ai-je demandé à Jake. Il a eu l'air écœuré. J'ai haussé les épaules. J'ai passé la première page en revue, puis la seconde. Élections primaires, coût de la vie, contrats de travail... pas un mot sur Jake et moi. Nous étions sortis de l'esprit des gens, comme si nous n'avions jamais

102

existé. Ils étaient déjà passés à d'autres problèmes, plus importants. J'étais complètement ébahie. Jake ne l'était pas du tout. Quand j'ai baissé le journal, il n'a même pas relevé les yeux. Il était trop occupé à remplir ses poches avec des sachets de sucre en poudre Domino.

« Nous n'y sommes même pas, lui ai-je dit.

— Hein ? » Il a passé le snack en revue.

« Dans le journal. Pas dans le journal.

— Et alors ? »

La serveuse a apporté notre commande. J'ai fixé du regard mon café, sans y toucher. Jake a relevé les manches de sa veste, a tendu la main par-dessus mon assiette pour prendre la salière. « Combien d'argent as-tu sur toi ? m'a-t-il demandé.

— … d'argent ?

— J'ai besoin de savoir.

— Ça ne vous regarde pas.

— Je sais que tu en as un peu. Je l'ai vu dans ton portefeuille.

— Mais c'est mon argent à moi. »

Habituellement, je me moque éperdument de l'argent. Je m'en suis d'ailleurs toujours moquée. Mais cette fois-ci, c'était différent. J'étais seule et oubliée, abandonnée de tous ceux qui auraient dû me rechercher. J'étais là, avec cet étranger qui essayait de m'enlever mes derniers moyens de subsistance. Mes sentiments étaient également blessés. Car, pour dire toute la vérité, j'avais pris du plaisir à ce que quelqu'un m'offre des choses. Je lui ai dit : « Vous pourriez quand même faire preuve d'un peu plus de délicatesse.

— Charlotte, m'a répondu Jake. Ce voyage ne coûte pas rien. Quand ça ne serait que l'essence ! Je n'ai pratiquement plus d'argent. De plus, tout comme je suis incapable de *voler*, je me fais un point d'honneur à ne rien prendre à personne. Mais en ce cas précis, je dois te demander ton porte-feuille. »

J'ai fait semblant de ne pas l'entendre.

« Disons que c'est un prêt, a-t-il ajouté.

— Je ne veux pas le prêter.

— Je t'en supplie. Il me le faut. Tu crois que ces petits dollars vont durer éternellement ? »

La serveuse nous a jeté un coup d'œil, par-dessus son épaule. Ses lunettes ont brillé.

« Tu me tues, a dit Jake. Tu es là, assise, et tu me tues. »

Il parlait d'une voix basse, mais sèche et cassante. Je sentais qu'il allait faire une scène. Je déteste les scènes. J'ai sorti le portefeuille de mon sac et je l'ai jeté violemment sur le comptoir.

« Ah, a dit Jake.

— Sept petits dollars. J'espère que vous êtes satisfait, maintenant.

— Ma parole d'honneur, je te les rendrai, Charlotte. Je te le jure.

— Je vous crois. »

J'ai posé mon cou sur mon poing. J'ai rêvassé sur mon café en clignant des yeux dans la fumée qui s'élevait de ma tasse. J'ai cherché du sucre mais le sucrier de métal était vide. J'en aurais pleuré. « Il n'y a pas de *sucre !* ai-je gémi.

— En voilà », a dit Jake, en sortant un sachet de sa poche. Il l'a ouvert, l'a versé dans ma tasse. Je me suis adossée à ma chaise et je l'ai observé. Il a ajouté de la crème et a remué le tout avec une cuiller en plastique. « Bois », m'a-t-il dit.

Je me sentais mieux. Je n'avais plus qu'à soulever la tasse qui était chaude, lourde, solide. Il s'était occupé de tout. Il s'occupait si bien de moi.

8

Après nos fiançailles, ma mère a corrigé son jugement. Je crois qu'elle cherchait mille façons de nous garder, éternellement, avec elle. Elle était beaucoup plus gentille avec Saul. Elle s'est animée. Il a fallu l'emmener choisir ma robe de mariée. Elle désirait par-dessus tout une cérémonie à l'église, affirmait-elle. Saul disait que ce serait très bien. Nous *n'appartenions* ni les uns ni les autres à une église, mais pourquoi le souligner ? Je me laissais porter. Mes mains et mes pieds étaient d'une lourdeur satisfaisante. Je me déplaçais avec une lenteur inhabituelle. Je me redressais pourtant de temps à autre — mon cœur battait la chamade. Et je me demandais : vais-je vraiment faire ça ? Vais-je aller jusqu'au bout ? A quoi puis-je bien penser ? Et puis je faisais complètement le vide. Mes muscles se relâchaient. Et la lourdeur m'envahissait à nouveau.

Quand je prenais des photos, je restais tellement de temps derrière mon appareil qu'on aurait pu se demander qui, de mes clients ou de moi, était fixé sur papier. Assise près de Saul le soir, je m'abritais sous son bras et je l'écoutais imaginer notre vie future. Il voulait six enfants. Je me croyais incapable d'en avoir (ayant hérité, de manière tout à fait illogique, de la non-grossesse de ma mère et de son faux bébé), mais j'acquiesçais quand même.

J'imaginais six petits garçons sombres et secrets — avec le nez droit de Saul — suspendus à mes basques. Je me voyais tout à coup aussi riche, chaleureuse et colorée qu'Alberta. Ma vie, triste et étriquée, s'ouvrait comme une fleur. Je n'avais qu'à me laisser porter. Facile. Je le laissais me guider. J'étais d'accord sur tout. J'éprouvais un tel plaisir que je me sentais calmée, somnolente — comme un chat dans un rayon de soleil.

Maman a décidé qu'il n'y avait rien de convenable dans ces magasins spécialisés, pour les mariages. Et elle s'est mise à tailler ma robe, à la maison. Satin blanc, montante et manches boutonnées. Elle n'envisageait pas, bien sûr, un mariage en été. Nous étions déjà en juin. Saul n'avait plus beaucoup d'argent. Il ne savait toujours pas ce qu'il voulait faire. Je ne voulais qu'une chose : dormir avec lui. Mais ça allait contre ses convictions. Il avait mené une vie errante pendant trop longtemps, disait-il, et cherchait maintenant un toit, un foyer, une famille, une vie équilibrée et stable. Et il ne comptait pas m'épouser tant qu'il n'aurait pas trouvé de travail. Tout devait être parfait. Si ça n'avait tenu qu'à moi, je me serais mariée immédiatement. Mais je ne cherchais pas à discuter. Dans mon nouvel état d'âme, je ne faisais que sourire. Mes mains et mes pieds se faisaient de plus en plus lourds, chaque jour. Mes yeux prenaient cette lueur perlée qu'ont les yeux des gens en transe.

Puis Saul a pris un autobus pour le Colorado. Il est allé voir un camarade de régiment. Ils voulaient discuter d'une éventuelle association. D'un magasin peut-être où ils travailleraient manuellement.

Porte-moi chance, me disait-il. Il voulait que le mariage ait lieu en juin.

Ça a été terrible. Cette fois, il était parti. J'ai eu le sentiment de sortir d'un long rêve et de ne plus savoir où j'étais : toujours sans amis, triste, bizarre, seule avec ma mère, entourée de monstrueuses plantes en pots, plus grandes et plus vieilles que moi. Caoutchoucs et palmiers qui n'avaient pas donné une seule feuille depuis ma naissance. Collections jaunies et fanées de livres classiques, enfermés dans des bibliothèques vitrées, confiseries poussiéreuses dans des coupes sur piédouche. Et maman, tout à coup angoissée par ce voyage au Colorado, agitée et marmonnante, laissait pendre n'importe comment ma robe sur le mannequin de la salle à manger. Avais-je vraiment l'intention d'aller aussi loin ? demandait-elle. Allais-je l'emmener avec moi ?

Je n'avais l'intention d'aller nulle part. Et je ne comptais pas l'emmener avec moi.

Je me suis installée dans la chambre de Saul. (Maman en a été choquée.) Saul avait un tas d'affaires, mais ses affaires avaient au moins le mérite de vivre. Ses affaires militaires avaient une odeur forte et salée. Ce qu'il avait pu sauver de la maison d'Alberta — une boîte à outils en métal vert et deux fusils de chasse — avait un air digne et indépendant. Je regardais pendant des heures la photo sur laquelle étaient réunis Edwin, les quatre garçons et un gâteau d'anniversaire. Il y avait un trou carré au centre de la photo. Je dormais dans son lit très dur. Je m'enveloppais dans son peignoir de bain en velours bouclé. J'enfilais de temps à autre l'une de ses paires de chaussures. Mais je n'avais toujours pas le sentiment d'entrer dans sa vie. Je me traînais jusqu'à la fenêtre — en portant l'une de ses chemises aux manches trop longues pour moi, d'au moins six centimètres — et je me penchais pour me souvenir de la vue qu'il avait : la maison d'Alberta, volets à présent arrachés et toit en morceaux. J'ouvrais son placard pour renifler ses vêtements. Une fois, j'ai mis l'un de ses fusils sur mon épaule et j'ai posé ma joue contre le bois huilé de la crosse. J'ai fermé un œil et j'ai regardé le canon bleuâtre. J'ai posé un doigt sur la gâchette — pas plus compliqué qu'un déclencheur d'appareil photo. Je pouvais facilement m'imaginer en train de tuer quelqu'un. C'est l'action complète : une fois qu'on a visé, comment peut-on résister et ne pas aller jusqu'au bout ?

Saul était parti depuis dix jours. Il est revenu sans que rien n'ait été réglé. Il n'aimait plus autant son ami. Il ne savait pas pourquoi. Ils ne s'étaient pas entendus. Il préférait continuer à chercher. Plutôt attendre ce qui lui semblerait bien.

Ce soir-là, j'ai enfilé une robe de chambre vaporeuse et j'ai attendu que la porte de maman se ferme. Puis, je me suis faufilée dans le noir jusqu'à sa chambre, à l'odeur salée, jusqu'à son lit, jusqu'à sa fenêtre envahie de clair de lune, jusqu'à la maison en ruines d'Alberta.

Au matin, il m'a dit que nous pourrions peut-être nous marier.

Ça ne s'est finalement pas passé en juin. Nous nous sommes mariés en juillet. Parce que nous avons dû nous rendre à la *Holy Basis Church* pendant un mois avant que le pasteur accepte de nous unir. *Holy Basis* était le temple dont Edwin Emory avait été le chapelain. Saul avait décidé que la mariage aurait lieu là. L'idée le séduisait. Je n'avais pas d'église. Je n'étais ni pratiquante ni croyante. Quant à maman, elle avait abandonné l'église méthodiste de Clarion, il y a vingt ans, parce qu'elle y avait entendu par hasard une insulte. Aussi, pendant quatre dimanches, nous avons retrouvé la *Holy Basis,* avec son papier mural qui imitait la brique, son plafond de bois enfumé, les numéros de ses cantiques, gribouillés sur une tablette devant nous. Le Révérend Davitt fredonnait et chantait — c'était un homme au nez crochu, vêtu de noir, qui se cramponnait de toutes ses forces à sa chaire. Nous étions, Saul et moi, assis presque devant l'autel. (Nous voulions faire partie de la communauté ; nous voulions qu'on nous voie.) Nous étions assez près pour remarquer les larmes des gens assis sur le banc des repentis et les battements de leurs paupières lorsqu'ils relevaient leurs visages en prière. « Que pleurent-ils ? » ai-je demandé à Saul en rentrant un jour à la maison. Il m'a répondu : « Leurs péchés.

— Pourquoi alors ne pas l'appeler le banc de l'allégresse, si c'est là qu'ils vont s'asseoir pour renaître.

— Oui, mais ils doivent d'abord se repentir de leurs actions passées.

— Tu en sais certainement un bout sur le sujet.

— Oh, j'ai *été,* moi aussi, sur le banc des repentis.

— Ah, oui ? Vraiment ?

— Bien sûr.

— Tu as été... sauvé ?

— Sauvé, repenti et plongé dans le lac de Clarion, avant d'être incorporé dans l'armée. »

Je n'arrivais pas à m'y habituer. J'ai fait le reste

du chemin dans le silence le plus total. Je n'avais jamais remarqué combien il était différent de moi.

Maman ne voulait pas terminer ma robe. Je la soupçonnais de défaire chaque nuit les ourlets cousus dans la journée. La veille de mon mariage, je lui ai dit : « Ça m'est égal de me marier en slip de dentelle noire, maman. Ne pas avoir ma robe ne m'empêchera pas de me marier. » Elle s'est aussitôt remise à l'ouvrage et a cousu pendant tout l'après-midi. Elle m'a ensuite fait grimper sur la table de la salle à manger pour épingler et marquer l'ourlet. Je pivotais doucement comme une mariée, sur une boîte à musique. Maman n'arrêtait pas de parler de la porcelaine de grand-mère Debney, que je devais recevoir en cadeau de mariage. Mais je n'écoutais pas vraiment. Une vague de tristesse envahissait mon esprit.

Après ça, nous sommes allés dans le studio où j'ai installé l'appareil. Puis maman a pris une photo de Saul avec moi. Nous étions très raides, pareils à un vieux couple démodé et maman disait : « Où c'est ? Qu'est-ce que je pousse ? Comment ça marche ? Comment est-ce que je fais ? » Puis j'ai pris une photo de Saul tenant maman par la taille.

« Oh non, je t'en prie. Je ne suis pas photogénique », disait-elle, mais Saul lui répondait : « Maman Ames, vous faites partie de la famille à présent. Je veux que votre portrait figure dans mon album.

— C'est gentil à toi d'être aussi adorable avec elle », lui ai-je dit un peu plus tard.

« Adorable ? Qui est-ce qui est adorable ? Je suis sincère, c'est tout. »

Et je pouvais remarquer qu'il l'était vraiment.

Ça n'a été qu'une petite cérémonie : pas de demoiselles d'honneur ni de garçons d'honneur (Saul aurait souhaité la présence de l'un de ses frères, mais aucun ne pouvait venir). Il ne m'a pas autorisé à inviter Alberta, mais la famille de mon oncle est venue ainsi que quelques membres de la *Holy Basis* qui avaient appris la nouvelle par le bulletin paroissial. Après la cérémonie, nous sommes partis pour Ocean City dans la vieille camionnette de papa, que Saul avait réparée et repeinte. Nous savions pourtant à peine nager. Saul a passé ses journées à faire les cent pas au bord de l'eau. Je suis restée allongée sur le sable et je me suis reposée de toutes ces années de solitude. Je me suis réchauffée, cuite et brunie pendant toute la semaine.

Je me souviens de la date : 14 juillet 1960. Un jeudi. Nous étions rentrés d'Ocean City depuis cinq jours. J'étais dans le studio en train de faire un agrandissement. Maman tricotait, sur le canapé. Saul est entré, une enveloppe à la main. Il m'a dit qu'il aimerait me parler seul à seul pendant quelques instants.

« Bien sûr », lui ai-je répondu.

J'étais déjà mal à l'aise.

Je l'ai suivi dans les escaliers, jusqu'à sa chambre. Notre chambre. Elle l'était, maintenant. Je me suis assise sur le lit. Il s'est mis à faire les cent pas en frappant l'enveloppe contre la paume de sa main. « Écoute bien ce que je vais te dire. » J'ai avalé ma salive et je me suis redressée.

« Depuis le début, je me suis demandé pourquoi les choses se passaient ainsi. *Te* rencontrer, je veux dire, à ce stade de ma vie précisément. Oh, j'avais bien l'intention en quittant l'armée de me marier et de fonder un foyer. Mais il fallait d'abord que je gagne ma vie. Aussi, quand tu m'as ouvert la porte ce jour-là — tu portais ce petit chandail aux couleurs fanées... Pourquoi *maintenant* ? me suis-je dit. Je voulais savoir. A un moment où je n'ai pas les moyens de la faire vivre, où je n'ai rien à lui offrir. Ça n'aurait pas pu attendre ? Puis j'ai essayé de me convaincre que je devais te laisser suivre ta route, mais ça n'était pas possible. Et maintenant, j'ai la réponse, Charlotte. Je sais ce qu'il en est. »

Il s'est arrêté de marcher, s'est tourné et m'a souri. J'étais plus que jamais intriguée. Je lui ai dit : « Vraiment ? Tu sais ce qu'il en est ?

— Charlotte, j'ai été appelé à prêcher.

— Appelé à... *quoi* ?

— Tu ne comprends pas ? Voilà ce qu'il en était. Si je ne t'avais pas rencontrée, je ne serais jamais retourné à la *Holy Basis Church.* Je n'aurais peut-être jamais su ce que je devais faire. Maintenant, c'est clair. »

Ça alors. J'étais si abasourdie que je n'arrivais même plus à respirer. Je veux dire que je n'étais pas prête à entendre une chose pareille. Rien de ce qui avait pu se produire jusque-là n'avait éveillé en moi le moindre doute. Je lui ai dit : « Mais... mais... Saul...

— Laisse-moi te raconter comment ça m'est arrivé, a-t-il dit. Tu te souviens de ce dimanche où je me suis proposé pour ranger les livres de cantiques ? J'ai donc porté une boîte au sous-sol. Et en passant devant la salle de classe — que j'ai fréquentée, enfant — j'ai vu le même vieux linoléum bleu, les mêmes tuyaux auxquels on nous interdisait de nous balancer. Et puis j'ai entendu cet hymne : moi et mes trois frères qui chantions *L'amour m'a soulevé.* Je te le jure. Tu me crois ?

112

Nos quatre voix identiques. Je ne pouvais pas m'y tromper. Je suis resté là, bouche bée. J'ai même entendu le défaut de langue que Julian avait et qui a disparu lorsque sa seconde dentition a poussé. Nous avons chanté deux couplets puis nos voix se sont évanouies peu à peu, avant de disparaître définitivement.

— Un instant, lui ai-je dit. Tous les quatre ensemble ? Ça n'a certainement pas pu vous arriver. Vous avez une trop grande différence d'âge.

— Ça n'est pas aussi logique, m'a assuré Saul.

— Non, sûrement pas.

— Le révérend Davitt a eu le sentiment que j'avais fait une expérience de nature religieuse. »

Je n'ai pas aimé la façon dont il expliquait ça. Un certain nombre de choses en lui trahissaient le prédicateur : sa structure osseuse, l'écho de sa voix, son regard tranquille qui pouvait également paraître condescendant. J'y voyais clair maintenant. Pourquoi ne m'en étais-je pas rendu compte, avant ? J'avais été trop occupée à rassembler d'autres messages. Voilà pourquoi. Rien n'avait su m'avertir.

Pourtant, je résistais encore. « Mais, écoute-moi, Saul. C'était peut-être des ondes, des échos. Y as-tu seulement pensé ?

— Il m'a dit que c'était peut-être un appel pour que j'aille prêcher la bonne parole. Nous avons eu de nombreuses conversations à ce sujet. »

Je l'ai regardé ouvrir l'enveloppe, de ses longs doigts bruns que l'on pouvait aisément imaginer en train de tourner les pages d'une Bible. Même si je ne croyais pas en Dieu, je pouvais changer d'avis maintenant et en imaginer un, car qui d'autre aurait pu me faire une blague pareille ? Le seul espace plus clos que cette maison ne pouvait être qu'une église.

La seule personne plus bizarre que ma mère ne pouvait être qu'un satané prédicateur. J'ai failli éclater de rire. J'ai éprouvé un intérêt amusé pour le morceau de papier qu'il a sorti de l'enveloppe.

« Voilà ce qui est arrivé ce matin par la poste. Je ne voulais pas t'en parler avant de l'avoir reçu. C'est une lettre d'admission à l'Institut théologique de Hamden.

— Institut théologique ? ai-je dit.

— Oh, je sais qu'il faut de l'argent. L'armée ne paiera pas une école non accréditée — pur préjugé. Mais considère les avantages : les cours ne durent que deux ans et l'école ne se trouve qu'à une demi-heure d'ici. Nous pouvons continuer à vivre avec ta mère ! Je vais rouvrir le magasin de papa. Ça paiera mes études. Car je sais maintenant que je suis fait pour rester à Clarion, Charlotte. Tout ça est très clair. Voilà ce que j'ai à faire. Tu ne vois pas ? »

Tout ce que je voyais était la vue qu'on avait de la fenêtre de sa chambre : une partie de la maison d'Alberta avec du papier à fleurs, des tuyaux de cuivre qui se dressaient, tordus, vers le ciel, et une armoire à pharmacie toute grande ouverte et vide. C'était très clair. Ils détruisaient le reste du monde. Ils ne laissaient rien debout, hormis la maison de ma mère. Ils me retenaient prisonnière ici, pour toujours, pour toutes les lentes et longues journées de ma vie.

9

Nous avons roulé pendant tout un après-midi interminable, dans un décor qui semblait s'être fané. Appentis en piteux état, maisons à peine crépies, bétail squelettique, têtes penchées par-dessus les clôtures. « Où sommes-nous ? ai-je finalement demandé.

— En Georgie.

— En Georgie ! »

Je me suis redressée et j'ai regardé autour de moi. Je n'aurais jamais cru que je mettrais un jour les pieds en Georgie. En fait, il n'y avait pas grand-chose à voir. « Je vais vous dire quelque chose, ai-je déclaré. Je crois que je vais passer sur la banquette arrière pour faire un petit somme.

— Non.

— Pourquoi ça ?

— Je ne te laisse pas t'éloigner comme ça. Tu serais capable d'ouvrir la portière et de mettre les voiles.

— Pour l'amour du ciel ! » Je me sentais offensée. « Pourquoi ferais-je ça ? Je veux dormir un peu, c'est tout. *Fermez* la portière, si vous voulez.

— Pas possible.

— Trouvez une autre chaîne quelque part.

— Et m'enfermer, moi aussi ?

— Vous pourriez garder une clef. Trouvez une de ces...

— Fiche-moi la paix, Charlotte. »

Je suis restée tranquille pendant un moment. J'ai regardé défiler les réclames. Puis je lui ai dit : « Il faudrait vraiment régler cette histoire de serrures, vous savez.

— Laisse tomber. »

J'ai cherché une radio, mais il n'y en avait pas. J'ai ouvert la boîte à gants pour voir ce qu'il y avait dedans : cartes routières, lampe torche, cigarettes, des choses sans intérêt. Je l'ai refermée. J'ai dit : « Jake.

— Hein ?

— Où allons-nous ? »

Il m'a jeté un coup d'œil. « C'est *maintenant* que tu poses la question ? Je commençais à me demander s'il ne te manquait pas quelque chose ?

— S'il ne me manquait pas quelque chose ?

— Oui, s'il ne te manquait pas un petit boulon, une vis. Pour ne pas t'être demandée plus tôt où nous allions.

— Je ne savais pas que nous allions *quelque part,* précisément.

— Tu croyais que je faisais ce voyage pour le plaisir de conduire ?

— Où allons-nous, Jake ?

— A Perth, en Floride.

— A Perth ?

— C'est là qu'habite Oliver. Mon pote du centre d'éducation surveillée.

— Oh, Oliver !

— Tu vois, sa mère l'a installé en Floride pour le sortir de tous ses ennuis. Elle y a ouvert un motel. Elle est veuve. Elle ne m'a jamais beaucoup aimé.

C'est elle qui a tout fait pour éloigner Oliver de moi. Maintenant, nous allons lui rendre une petite visite, en faisant d'abord une escale à Linex.

— Qu'y a-t-il à Linex ? »

Il s'est mis à fouiller ses poches — d'abord la veste, puis le pantalon. Il a finalement sorti un feuillet d'agenda qu'il m'a tendu. « Qu'est-ce que c'est que ça ?

— Lis-le. »

Je l'ai déplié, l'ai défroissé. C'était écrit au crayon gras — un de ces crayons qui grave même l'autre côté du papier. Tous les i étaient surmontés de gros cœurs.

Cher Jake,

Chéri, viens vite me chercher ! C'est une prison, ici. Ça fait longtemps que j'attends. Tu n'as pas reçu ma lettre ? J'ai appelé chez toi, mais ta mère m'a dit qu'elle ne savait pas où tu étais. Tu veux vraiment que ton fils naisse en prison ?

Je t'aime et XXXX !

Mindy.

J'ai lu le papier deux fois. Puis j'ai regardé Jake.
« Je ne pouvais pas supporter ça, a-t-il dit.

— Quoi " ça " ?

— Mon fils qui va naître en prison.

— Pourquoi est-elle en prison ?

— Elle n'est pas en prison. Elle est dans une institution pour filles-mères.

— Oh, je vois.

— Sa mère est un démon, un vrai démon. Elle l'a envoyée dans cette institution que dirige son église. Elle ne m'en a pas parlé tant que Mindy n'a pas fait ses valises, tant qu'elle n'est pas partie. Mindy est mineure. »

117

J'étais un peu lente à comprendre. Je croyais qu'il voulait dire qu'elle travaillait dans une mine. J'ai vu un merveilleux monde souterrain — riche et noir — s'ouvrir sous mes pieds, un univers dans lequel tout le monde avait des ennuis, pénibles et dramatiques. Je me sentais trop pâle pour tout ça et je me suis retirée en repliant la lettre rapidement. « Elle est trop jeune pour avoir son mot à dire », a poursuivi Jake. Même après avoir compris de quoi il s'agissait, j'ai continué de l'imaginer dans un endroit extrêmement sombre. « Elle n'a que dix-sept ans. Mais selon moi, ils auraient dû la laisser prendre sa décision toute seule — et moi aussi d'ailleurs. Je veux dire qu'elle et moi, on vivait ensemble depuis trois ans, de temps en temps.

— Attendez, ai-je dit. *Trois ans ?*

— Elle avait quatorze ans, a dit Jake, mais elle était déjà tout à fait développée.

— Je n'ai jamais entendu une chose pareille.

— Très bien, mam'zelle Nitouche. Mais ça n'était pas de *ma* faute. C'est elle qui m'a jeté le grappin dessus. Elle s'est accrochée à moi et ne m'a pas laissé partir. Tu vois, elle ne vivait pas très loin de nous, sur la même route — la route 4 en dehors de Clarion, sur la Pimsah River. Tu vois l'endroit ? Nous nous connaissions depuis des années. Nous ne nous étions jamais parlés. Et puis elle est venue assister à cette course avec sa famille. Il se trouvait que j'y participais et que j'ai gagné. Je crois qu'à partir de ce moment-là, je suis devenu un héros à ses yeux. Après ça, elle s'est mise à me suivre partout, à me téléphoner, à m'apporter des paniers pique-nique et des canettes de bière qu'elle piquait à son père. C'est Darnell Callender. Il possède un magasin d'alimentation. Tu as peut-être entendu parler de lui. Il porte toujours un panama.

J'ai d'abord pensé qu'elle était trop jeune, et puis je ne l'aimais pas tellement. Mais je n'arrivais pas à me débarrasser d'elle. Elle était continuellement pendue à mes basques. Elle ne se fâchait pas si je l'envoyais promener. Non, elle s'en allait en souriant. Elle me donnait un sentiment de culpabilité. Elle n'était qu'une *petite* fille, tu sais ? C'était l'été et elle portait ces sandales, pareilles à du fil ; elles donnaient vraiment l'impression d'être fragiles. Finalement, je me suis dit que je pourrais tout aussi bien sortir avec elle.

« Mais nous n'avons jamais été ce qu'on pourrait appeler stables, a-t-il ajouté. Je voyais souvent d'autres filles. Je me disais : " Comment ai-je fait pour me mettre cette Mindy sur les bras ? Quel est l'intérêt de cette liaison ? " Elle parlait trop et de sujets qui ne m'intéressaient pas. Parfois elle me paraissait si ennuyeuse que j'avais l'impression de ne plus pouvoir respirer quand j'étais près d'elle. Parfois, je ne sais pas, elle me disait quelque chose de direct qui me montrait comment elle m'observait, comment elle me *voyait,* tu sais ? Et je me disais, cette fille-là est destinée à connaître quelque chose avec toi. Je veux dire que ça n'est pas de l'amour, mais qu'est-ce que c'est ? Pire que l'amour, plus difficile à détruire. Comme si nous devions nous porter, faire quelque chose ensemble. Je ne sais pas. Elle adorait me rendre fou, je te jure. Je me disais constamment : " Je ne comprends pas. Elle n'est qu'un boulet. Je n'ai pas besoin de faire ma route avec ça. " Alors nous nous séparions. Et elle partait comme toujours en souriant. Et, plus tard, elle recommençait à tourner *autour* de moi. Et je finissais par me retrouver dans la même situation. Tu comprends ? »

J'ai hoché la tête. Je pouvais tout imaginer. Je

119

n'arrivais pourtant pas à comprendre que ça puisse arriver à Jake.

« Et puis l'automne dernier, elle m'a téléphoné. Elle m'annonce qu'elle attend un bébé. Coup de bol. Je ne l'avais pas approchée depuis le mois d'août. Habituellement, je ne cherchais pas à discuter avec elle, mais tu sais comment ça se passe. Et je lui ai dit qu'elle y était pour quelque chose. Pour beaucoup. Je veux dire qu'elle... et j'étais là. Qu'est-ce que je pouvais faire ? C'était arrivé si brusquement. Peut-être que si elle m'avait écrit une lettre, si elle m'avait laissé le temps de réfléchir. Mais non. Il fallait qu'elle téléphone. " Je vais avoir un enfant, Jake. " Heureuse comme une reine. Et elle m'a dit : " Je crois que nous ferions mieux de nous marier. "

« J'étais surpris, c'est tout. Si j'avais pu réfléchir, j'aurais dit : " Maintenant, calme-toi, Mindy. Nous pouvons envisager une autre solution. " Mais j'étais surpris et je lui ai dit : " Tu as perdu la boule ou quoi ? Ça va pas la tête ? Tu crois vraiment que je vais me marier, faire ce doux chemin routinier avec toi ? " J'ai ajouté : " Sans parler de t'épouser, *toi* ! " Et j'ai raccroché. J'étais fin prêt à être enchaîné. J'étais fou furieux. Mais je sais que j'aurais dû mener cette affaire avec plus de doigté.

— Vous étiez simplement ahuri », lui ai-je dit. Je n'avais pas du tout l'intention de prendre son parti comme ça. Mais j'étais émue par le geste désespéré de ses mains qui agrippaient le volant. Ses ongles rongés me faisaient de la peine. « J'aurais dit la même chose, ai-je ajouté.

— Une semaine ou deux passent, un mois ou deux s'écoulent, a poursuivi Jake. Je me mets à réfléchir. Je ne l'avais pas vue depuis tout ce temps. Et je commençais à regretter son absence. Elle me manquait. Des images me venaient à l'esprit : ces petits foulards qu'elle portait. Cette façon qu'elle avait d'être toujours derrière moi et de me demander de lui faire des tours de prestidigitation. Cette façon qu'elle avait d'applaudir à la fin de chaque numéro. Comme si elle n'était qu'une enfant, tu sais ? Toujours en train de fredonner, de sautiller, de balancer ma main quand nous marchions... puis je me suis demandé comment elle pourrait rester avec sa mère, son démon de mère. Elles ne s'étaient jamais très bien entendues. Aussi, je me suis dit que je pouvais l'aider pour ça. C'était la moindre des choses. C'est vrai que je ne l'avais pas cherchée, mais je n'aurais pas aimé qu'on me reproche quoi que ce soit à ce sujet. Je veux dire que je ne suis pas un *méchant* garçon. Ça n'est pas vrai ?

— Bien sûr que non.

— J'ai appelé chez elle. Sa mère m'a répondu : " Trop tard, Jake Simms. " Il m'a fallu trois semaines pour retrouver sa trace. J'ai dû demander à son cousin Cobb. Puis je lui ai écrit. Je voulais savoir si elle allait bien, si elle avait besoin de quelque chose. Et elle m'a répondu : " J'ai besoin de *sortir*. Viens, je t'en supplie, sors-moi de là. "

« Je pouvais faire ça. Le problème était de savoir ce que j'allais faire d'elle une fois que je l'aurais sortie. Si elle avait été plus âgée, elle aurait pu avoir une amie mariée chez qui loger. Mais je ne crois pas que ça soit le cas. Alors, je me suis dit que j'allais l'emmener en Floride et aller voir O.J. Lui et moi, on est toujours restés en contact, tu vois. Il m'envoie des cartes de Noël. Et j'aime bien penser à lui, aux livres qu'il lit en se fichant éperdument de celui qui le boucle.

« Je me suis dit que Mindy pourrait rester en Floride jusqu'à la naissance du bébé et qu'on

121

pourrait ensuite le faire adopter. Je ne crois pas que Mindy ferait une très bonne mère, de toute façon. Elle pourrait ensuite retourner d'où elle vient. Moi, je resterais probablement en Floride. Ils ont des courses très chouettes, là-bas. Peut-être qu'Oliver et moi on pourrait s'installer ensemble, comme au bon vieux temps.

« Mais pour aller en Floride, il faut d'abord de l'argent, pas vrai ? Et je n'en avais pas. Je n'avais pas de travail. L'atelier de réparations automobiles où je travaille parfois m'avait injustement vidé. La saison des courses était finie et je n'y avais pas beaucoup brillé. Je n'avais plus qu'à errer dans la maison. Je me levais tard. Je grapillais dans le freezer. Je regardais la télévision : feuilletons, jeux. Des gens gagnaient mille boîtes de pâtée pour chats ou un lit en forme de cœur. Où est-ce qu'ils vont trouver les draps adéquats ? C'est tout ce que j'arrivais à me demander. Des choses comme ça. J'ai toujours été le genre de mec à dépenser ce que j'ai quand je l'ai et à ce moment-là je n'avais plus un seul sou vaillant. Je ne pouvais même plus aller à l'épicerie. C'était une période de vaches maigres.

« Et les amis ? Avant, on pouvait emprunter de l'argent aux amis, mais je ne sais pas... on dirait que les miens sont tous partis ou se sont tous mariés récemment. Quelques-uns parmi les plus chouettes se sont mariés. Je n'arrive pas à l'encaisser. Me laisser comme ça, tout seul. Et tu sais bien qu'un homme marié a peu d'argent à prêter à un ami. On dirait qu'ils passent leur temps à économiser pour acheter un grill automatique et je ne sais quoi d'autre. Aucun espoir de ce côté-là.

« Voilà ce que j'ai fait. Je suis allé voir mon beau-frère, Marvel Hodge. Il dirige *Marvelous Chevrolet.*

Je suis sûr que tu as entendu parler de lui. Chaque fois que quelque chose va se passer dans le *Late show*[1], ils interrompent l'émission et Marvel fait son apparition. Un type au visage large, aux cheveux bouclés. Il arrive tout souriant, tripote l'arrière d'une bagnole. Je ne saurai jamais pourquoi ma sœur l'a épousé. Je ne le supporte pas. C'est physique.

« Mais je suis quand même allé le voir. J'ai pris la vieille Ford de ma mère et je suis allé le voir. (Tu crois qu'il lui aurait donné une seule fois une Chevrolet gratuite ? Mais, non. Même pas une d'occasion !) Je l'ai trouvé dans le parc d'expositions. Il escortait quelques clients, de sa manière hautaine. Je lui ai dit : " Marvel, j'aimerais te parler une minute. "

« Il me répond : " Vas-y, Jake. Parle.

« Devant tous ces gens ? " Voilà le genre de type que c'est.

« Je lui ai dit : " Marvel, même si tu es censé être un de mes parents, je suis pas assez fou pour venir te demander un cadeau ou un prêt. J'ai vraiment besoin d'argent. Mais ça n'est pas ce que je viens te demander. Ce que je veux, c'est un travail, juste et convenable. Pour me remettre à flot. Tu sais très bien que je suis plus futé, quand il s'agit de voitures, que n'importe lequel des trois gars que tu emploies. Qu'est-ce que tu en penses ? "

« Tu sais ce qu'il a fait ? Il s'est mis à rire. Il a éclaté de rire et a secoué la tête. Devant ses clients. Toute une famille : le père, la mère, les deux fillettes et une espèce d'oncle ou Dieu sait quoi. " Mon gars, qu'il m'a dit, j'aurai vraiment tout

1. Émission de variétés, à la T.V. américaine, régulière et en fin de soirée.

entendu. Du *travail,* tu dis ? Donner du travail à Jake Simms qui n'a jamais eu que des ennuis depuis le jour de sa naissance. Faudrait que je sois complètement givré. "

« J'ai gardé mon calme, je peux le dire. Je lui ai répondu : " Marvel, j'ai peut-être fait une ou deux choses un peu trop rapides dans ma jeunesse, mais tu n'as pas le droit de me mettre ça sur le dos. Je suis adulte maintenant. Et je n'ai plus jamais d'ennuis sauf quand je bois un ou deux verres de trop, le samedi soir. J'aimerais bien que tu reconsidères tes paroles, si tu veux bien.

« Adulte ? " a dit Marvel. " Adulte ! J'ai bien peur de ne pas vivre assez longtemps pour voir arriver ce jour-là. Allez, va-t'en. Laisse-moi avec ces gens, veux-tu. "

« J'ai continué de garder mon calme. Je suis retourné vers ma Ford, très tranquillement. J'avais le sentiment que j'allais éclater, mais je n'ai rien dit. Je suis monté dans la voiture. J'ai mis le moteur en marche. J'ai jeté un coup d'œil dans le rétroviseur. Je l'ai redressé pour pouvoir faire marche arrière. Mais je n'ai pas fait marche arrière. J'ai foncé droit devant moi. Je ne sais pas ce qui s'est passé. Je veux dire que j'avais vraiment l'intention de le faire, mais je ne *savais* pas que j'allais le faire. J'ai foncé à toutes blindes dans le parc d'expositions. Marvel a fait un bond sur la gauche et ses clients, sur la droite. J'ai heurté une Bel Air toute neuve. Je l'ai éperonnée par le côté droit. J'ai fait marche arrière et j'ai heurté une Vega. Puis je me suis payé toute la série. J'ai écrabouillé tout ce qui se trouvait sur mon passage. Les pare-chocs étaient froissés comme du papier, enroulés ; les portières arrachées. Et chaque fois que je heurtais une voiture, j'avais ce sentiment, là... et puis tout ce monde qui dansait et

124

hurlait. Bien sûr, ma voiture, elle aussi, est sortie plutôt amochée de tout ça. Mais pas comme je pouvais m'y attendre. Je crois que j'aurais très bien pu la ramener à la maison, en fait. Jusqu'à ce qu'il me prenne l'envie de me payer une bagnole de front, comme à Monza. Tu vois, dans une course, on n'a pas le droit de heurter une autre voiture de front. Le règlement ne nous y autorise pas. Aussi, j'en ai eu soudainement envie. J'ai foncé de front et les deux voitures se sont élevées dans les airs, comme un feu d'artifice. J'ai sauté de bagnole en faisant un roulé-boulé, aussi vite que je pouvais, et trois flics m'ont ramassé sur le béton. »

J'ai éclaté de rire. Jake m'a jeté un coup d'œil, comme s'il m'avait oubliée.

« Un peu plus tard, ils se sont tous jetés sur moi. Même ma mère. Elle n'arrêtait pas de me dire : " Mais comment as-tu pu faire ça ? Comment as-tu fait pour ne pas garder ton calme ? " Je n'arrêtais pas de leur dire que j'*avais* gardé mon calme, car j'aurais pu également écrabouiller Marvel et ses clients. Mais je m'étais retenu.

« Je me suis encore retenu, une fois en prison. J'ai vraiment essayé de ne pas me faire la belle. J'avais pris la décision d'être un homme raisonnable, tu vois. Je suis resté tranquille et j'ai attendu mon procès. Tous ceux qui me connaissaient ont refusé de me faire sortir sous caution. Et ma mère n'avait pas d'argent. J'ai dû rester en prison. Ça n'était pas facile. J'avais de drôles d'accès de sueur, de temps à autre. Des boutons recouvraient les neuf dixièmes de mon corps, mais je résistais à la tentation de m'évader.

« Et puis, cet avocat qu'ils m'avaient désigné d'office a déclaré que je devais plaider coupable. Il m'a dit qu'il n'était pas question de faire autrement si je ne voulais pas dire un mensonge. J'ai dit que j'avais été obligé de saccager l'endroit, que je n'avais pas eu le choix, que Marvel Hodge m'y avait poussé. " Vous appelez ça coupable ? lui ai-je dit. Non, monsieur, je plaide non coupable. " Nous avons discuté longtemps. Le temps passait. Tu comprends, chaque jour qui passait ne faisait que me pousser d'un centimètre au-delà du point de rupture. Mais je tenais bon, je tenais bon.

« La veille de mon procès, ma mère m'a apporté cette lettre. Ma mère était le seul visiteur que j'avais. Sally, ma sœur, elle ne me parlait pas. Et Marvel n'est pas venu, bien sûr. S'il était venu, je l'aurais tué. Je serais sorti de cellule et je l'aurais tué.

« Ma mère m'a apporté la lettre de Mindy. Celle que je t'ai montrée. Elle m'avait été adressée à la maison. Mindy n'était pas au courant de mes ennuis. Sa mère ne savait pas non plus ou ne le lui avait pas dit. Je n'arrive pas à croire qu'elle ait pu rater une telle occasion de le lui dire. Peu importe. Il y avait donc cette lettre dans laquelle elle me demandait si je voulais que mon fils naisse en prison. Mon sang n'a fait qu'un tour. J'avais le sentiment d'être déchiré, je te le dis. On aurait dit que j'étais devenu fou. Comment se fait-il que le monde possède tant de moyens pour entraver quelqu'un, l'emprisonner ? Maintenant, je ne pouvais plus rester tranquille, ne rien faire et laisser cette chose se produire.

« Le lendemain, ils sont venus me chercher pour m'amener au tribunal. Je me suis libéré et je leur ai faussé compagnie dans Harp Street. J'avais le revolver du gardien dans ma poche. Rien de bien grave. Ils vous surveillent moins, en route pour le tribunal. Ils savent que vos pensées sont ailleurs, que vous avez l'espoir d'être acquitté. Sauf moi. Je n'avais aucun espoir. J'étais comme enfermé derrière des barreaux, mis en cage. Tout le monde avait une idée toute faite de moi. Je savais que mon seul espoir, c'était de me barrer.

« Comment ai-je pu tourner si mal? Je croyais que j'allais me faire mille dollars au moins en braquant cette banque. Je croyais que j'allais enfin être libre et sans problèmes. Et nous sommes là, tous les deux. On dirait que tout a loupé. Tout était stupide. Chaque pas, chaque centimètre, chaque mouvement que je faisais était pire que le précédent.

— Vous n'avez pas eu de chance, c'est tout, lui ai-je dit. Ne vous inquiétez pas.

— Quand je pense que j'ai mis tout ça en branle pour prouver que je n'étais pas un mauvais bougre. Ça ne te donne pas envie d'éclater de rire? »

Tard dans l'après-midi, nous sommes arrivés à Linex qui semblait n'être qu'une grande rue vide. Nous nous sommes arrêtés devant un magasin d'alimentation pour nous servir de la cabine téléphonique. « Cette institution s'appelle Dorothea Whitman », a dit Jake. Il feuilletait l'annuaire qui n'était pas plus épais qu'un pamphlet. Son doigt carré glissait le long des colonnes. Il avait laissé la porte ouverte. J'ai regardé par-dessus son épaule pour voir, entre autres choses, les papillons qui sillonnaient l'air jaune. Nous avions vraiment fait un bout de chemin. Nous avions laissé derrière nous le faux printemps du Maryland pour en trouver enfin un vrai. « Regardez ! » Jake s'est retourné. « Des papillons, ai-je ajouté.

— Tu me laisses finir ? »

Je ne portais plus mon imperméable. Il avait défait la fermeture éclair de son blouson. Nous exposions de nouvelles couches : des chemises blanches identiques. Dans cette cabine en verre, nous avions tous les deux un mince filet de sueur sur le front, comme des plantes dans une serre. « Il neige peut-être à Clarion, ai-je constaté.

— Pas sûr. » Son doigt avait trouvé ce qu'il cherchait. Il s'était arrêté. « Institution Dorothea Whitman. Je vais composer le numéro et c'est toi qui vas parler.

— Pourquoi ça ?

— Tu ne crois tout de même pas qu'elles vont écouter un bonhomme.

— Je peux deviner pourquoi, en effet.

— Je ne veux pas prendre de risques. Demande Mindy Callender. Tu n'as qu'à dire que tu es sa tante, n'importe quoi. »

Il a glissé une pièce de dix cents dans la fente et a composé le numéro. J'ai collé le récepteur contre mon oreille. Une voix de femme a répondu : « Institution Whitman.

— Mindy Callender, s'il vous plaît.

— Un instant. »

Quelque chose a cliqueté sur la ligne. Il y a eu un silence puis une voix frêle a dit : « Allo, oui ?

— Allô, Mindy ?

— Qui est à l'appareil ? »

J'ai tendu le récepteur à Jake. « Allo, Mindy. » Il a fait une grimace. « Ouais, ouais, c'est moi. Non, c'était seulement… oui, ça va. Et toi ? »

Il a écouté pendant un long moment. Son visage est redevenu grave. « Désolé de l'apprendre, a-t-il

dit. Vraiment ? Oh, je suis désolé de... écoute-moi,
Mindy. J'ai besoin de savoir. Quelqu'un m'a-t-il
demandé ? Quelqu'un t'a-t-il demandé où je me
trouvais ? Tu es sûre. Personne. *Non,* je n'ai pas
d'ennuis, arrête. Dis-moi seulement ce que je dois
faire pour venir te chercher. »

Je me suis adossé au verre de la cabine pour avoir
un peu plus de place. J'ai observé les doigts de Jake
tapoter l'annuaire, puis se calmer. « Pourquoi pas ?
a-t-il dit. Il ne fait pas encore nuit. Écoute, Mindy,
nous sommes plutôt pressés, ici. Nous... quoi ?
Non. Mais, non. Qu'est-ce que tu veux que je fasse
avec une échelle ? »

Il a encore écouté pendant un moment. « Oui,
bien, a-t-il dit. D'abord à gauche, après le... Bien
sûr. *Bien sûr,* j'ai compris. Je ne suis pas aussi
stupide que ça. D'accord. Ciao. »

Il a raccroché. Il a fourré ses doigts dans ses
cheveux.

« Mer...credi, s'est-il exclamé.

— Qu'est-ce qu'il y a ?

— D'abord, elle me dit qu'elle n'est pas libre,
aujourd'hui. Elle veut que je vienne seulement à
minuit et que je l'aide à descendre avec une échelle.
Une échelle ! Je te demande un peu. Mindy est
parfois... Et quand je lui dis non, elle me répond
qu'elle me verra peut-être demain matin, à six
heures. Peut-être bien que oui, peut-être bien que
non. A quoi joue-t-elle ?

— Je crois qu'une échelle serait plutôt... dange-
reuse.

— Tu ne la connais pas. C'est justement le genre
de choses qu'elle adore. Je suis étonné qu'elle ne
m'ait pas demandé de charger sur un cheval. »

Nous sommes sortis de la cabine pour entrer dans
le magasin d'alimentation. Jake a choisi des lames

Gillette, une bombe de mousse à raser, une maxi-bouteille de Coca-cola. J'ai entr'aperçu un bac plein de jus d'orange et j'en ai eu soudainement très envie. Mais il m'a dit que ce serait trop difficile à transporter. Il est de mauvaise humeur, me suis-je dit. Il a passé en revue les allées du magasin en parlant tout seul et en me poussant chaque fois que je ralentissais l'allure. « Allez, allez. Nous n'avons pas toute la nuit.

— A ce que je vois, c'est bien ce que nous avons. C'est d'ailleurs bien tout ce que nous ayons.

— C'est pas le moment de faire de l'esprit. »

Les courses terminées, nous avons repris la voiture et nous avons traversé Linex qui avait pris, maintenant que le soleil était couché, une couleur argentée. Nous avons tellement roulé que je me suis demandé si nous ne partions pas pour de bon, si nous n'abandonnions pas Mindy. Je me disais que ce serait une bonne chose. (Quitter la bien-aimée de *quelqu'un d'autre* me remplissait d'une joie malsaine.) Mais Jake a ralenti et a jeté un coup d'œil sur les bois, à droite. Il a dit : « Ça va faire l'affaire, je crois. » Un écriteau brun indiquait : TERRAIN DE CAMPING DE TUNSAQUIT. En lettres sculptées. Nous avons pris un chemin de terre. Nous avons dépassé en cahotant un tableau d'affichage désert, un gardien et plusieurs poubelles. Finalement, la route s'est terminée en cul-de-sac. Jake a arrêté la voiture et s'est rejeté en arrière.

J'ai soupiré : « Bon.

— Oui, bon », a-t-il répondu en me faisant écho.

Il a baissé la vitre. Le crépuscule tombait déjà au fond de ces bois, et une odeur de champignons nous a frappés de plein fouet au visage, comme une poignée de feuilles humides. Il a refermé la fenêtre.

« Je croyais qu'ils avaient des tables de piquenique, a-t-il remarqué.

— Nous pourrions peut-être aller un peu plus loin.

— Non. »

J'ai remis mon imperméable sur mes épaules, mais Jake est resté là, assis, à tambouriner du bout des doigts sur le volant. J'ai fini par fouiller le sac aux provisions et j'ai ouvert le sachet de chips. « Vous en voulez? » ai-je proposé. Il a secoué la tête. J'en ai pris une poignée et les ai mangées une à une. « Elles sont bonnes, vous savez. Goûtez-les et vous verrez.

— Je n'ai pas faim.

— Elles seraient parfaites si nous avions acheté le jus d'orange.

— Comment aurions-nous pu le trimbaler jusqu'ici, perdus au fond de ces bois? En plus, il faut que je fasse attention à l'argent. Nous n'en avons presque plus.

— Si vous faites tellement attention à l'argent, pourquoi avez-vous acheté un rasoir? J'aurais préféré du jus d'orange.

— Eh bien, moi, je préférais me raser. » Jake s'est redressé et a étudié son visage dans le rétroviseur. « Une vraie gueule de condamné à mort », a-t-il constaté en se laissant retomber sur son siège. « Elle ne me regarderait qu'une seconde avant de se sauver. Je ne peux pas ne pas me raser.

— Je ne peux pas me passer de fruits. J'en ai besoin. J'adore ça et j'ai l'impression d'avoir le scorbut.

— Tu as fini? Tu as fini de parler toujours de la même chose? »

Je me suis arrêtée. J'ai mangé encore quelques chips et j'ai regardé les bois — une fois habituée à l'obscurité. Sol glissant fait d'aiguilles de pins, couleur invisible dans le crépuscule. Je me suis dit que c'était bien agréable d'être là. Mais Jake était très agité. Il s'est mis à fouiller le sac aux provisions. Il a fini par prendre quelques chips ; il a sorti la bouteille de Coca-cola, l'a débouchée et nous a aspergés en l'ouvrant. « Oh, désolé !

— Ça n'est rien.

— Tu veux boire ?

— Non, merci.

— Si tu veux, tu peux dormir à l'arrière, cette nuit. Je ne compte pas dormir, de toute façon. J'ai l'intention de rester au volant. A en perdre la tête.

— D'accord.

— Je ne comprends pas comment tu fais pour supporter tout ça.

— Vous oubliez que j'ai été mariée. »

Nous sommes restés assis et nous avons mâchonné nos chips en regardant les arbres grandir, devenir de plus en plus sombres au fur et à mesure que la nuit tombait.

10

J'ai quitté mon mari pour la première fois en
1960, à la suite d'une dispute concernant le mobilier. Il avait engrangé les meubles d'Alberta au lieu
de les vendre, en même temps que la maison. Ça
faisait moins d'un mois que nous étions mariés
lorsqu'il a loué un camion de déménagement et
qu'il a tout apporté avec lui : ses chambres à
coucher branlantes, ses chaises fatiguées, ses
rideaux multicolores, ses châles et ses robes...
ajoutez à ça les effets du beau-père, les costumes
que le vieil homme avait entassés dans la salle à
manger. Je croyais que Saul avait l'intention d'orga-
niser une vente dans le garage ou quelque chose de
ce genre. Je savais, bien sûr, que nous ne pouvions
plus payer les notes du garde-meuble. Mais il
n'avait pas, semble-t-il, cette intention-là. Il a tout
gardé. En fait, la maison était envahie. Il a donc
fallu doubler les meubles : une table devant une
autre table ; un canapé dos à dos avec un autre
canapé. C'était insensé. Chaque meuble avait son
jumeau, son frère siamois. Ma mère ne semblait pas
trouver ça bizarre. (Elle protégeait Saul à présent.
Il ne pouvait rien faire de mal.) Moi, oui. Il

n'ouvrait même pas les lettres d'Alberta. Que voulait-il faire de ses meubles ?

Je pensais tous les jours à Alberta. J'avais convoité toutes ses affaires pendant des années, mais ça n'était que ses restes. Si elle s'était débrouillée pour s'en débarrasser, je pouvais, moi aussi en faire autant. « Saul, il faut que nous nous débarrassions de ce foutoir. Je ne peux plus bouger. Je ne peux plus respirer. Il faut que tout ça s'en aille.

— Oh, nous finirons bien par faire un tri un de ces jours. » Voilà ce qu'il me répondait.

Je le croyais. J'ai continué de tituber contre des malles pleines de souliers en satin, de bottes de cheval. Je me suis rompu le cou sur des forêts de pieds de chaises, en attendant qu'il se décide. Mais il s'est mis à suivre, à ce moment-là, les cours de l'Institut théologique et il s'est trouvé bien trop occupé. La nuit, il étudiait. Il consacrait ses instants de liberté à son magasin de radio. Il avait visiblement oublié l'existence des meubles.

Vers le mois d'octobre, j'ai pris la décision d'en disposer. Je l'admets : je l'ai fait dans son dos. Je n'ai pas fait ouvertement appel à *Goodwill*[1], de peur qu'il ne s'en aperçoive, mais j'ai fait disparaître les meubles peu à peu, pièce par pièce. Je les ai déposés près de la poubelle. La benne passait tous les mercredis et tous les samedis. Je déposais une table de nuit le mercredi, une bibliothèque le samedi. Je ne pouvais pas jeter plus d'une chose à la fois, car la ville imposait des limites pour les ordures encombrantes. Ça me rendait extrêmement impatiente et nerveuse. La nuit, je restais éveillée et je me demandais ce que j'allais bien pouvoir jeter le

---

1. Organisation américaine, correspondant aux Chiffonniers d'Emmaüs.

lendemain. C'était si difficile de faire un choix. Le bureau ? La table ? Une part de moi-même voulait se défaire des chaises de cuisine, mais il y en avait huit. Ça serait si ennuyeux, semaine après semaine. Une part de moi-même voulait que je m'attaque directement au canapé, la plus grosse pièce de la maison. Mais il s'en apercevrait sûrement. Non ?

Il avait une attitude gentille, mais abstraite. Ça n'est pas ce qu'on cherche chez un mari. Il m'avait si rapidement installée dans sa vie. Il était passé à d'autres projets. J'avais l'impression d'être un jouet, qu'un enfant indifférent tire au bout d'une ficelle. Je n'arrivais pas à comprendre comment nous en étions arrivés si vite à cette même relation faussée et routinière, que j'entretenais avec n'importe qui d'autre.

Je me suis mise à regarder nos affaires en me demandant l'air qu'elles pourraient avoir, près de la poubelle. Pas seulement les affaires d'Alberta, mais celles de ma mère, les miennes aussi. Après tout, avions-nous vraiment besoin d'écrire sur des bureaux, de marcher sur des tapis ? Au beau milieu du dîner, je me raidissais à la vue de tous les compotiers en porcelaine qui envahissaient le vais-selier. Ils arriveraient à tenir tous *dans* la poubelle. Et je ne perdrais pas ainsi un seul jour de ramas-sage. Et le Graflex de papa dont je ne m'étais jamais servi ? Et mes vêtements de bébé, dans la malle en fer ? Et les dossiers remplis de photos de gens disparus ? A quoi me servaient-ils ?

J'ai pris ma décision un mercredi matin : le bureau d'Alberta. J'ai attendu pour le descendre que Saul soit parti au magasin. Les tiroirs d'abord, un à un, et puis le reste. Le bureau lui-même était difficile à transporter et il se coinçait de temps à autre dans les escaliers. Ma mère m'a appelée de la

cuisine : « Charlotte ? C'est toi ? » J'ai dû m'arrêter, poser le bureau sur une marche, faire en sorte
que ma voix paraisse tout à fait normale et dire :
« Oui, maman.

— Que se passe-t-il, là-haut ?

— Rien, maman. »

J'ai sorti le bureau par la porte de devant, pour
qu'elle ne le voit pas. Je l'ai tiré dans l'allée. J'ai
remis tous les tiroirs en place et je l'ai abandonné
près de la poubelle. Puis je suis allée à l'épicerie, au
magasin de fournitures photographiques pour y
acheter du papier au bromure. Il était midi quand je
suis rentrée à la maison. J'ai ouvert la porte, j'ai
posé mes paquets et je me suis retrouvée face au
bureau d'Alberta.

C'était comme si je me retrouvais face à un
cadavre, déjà enterré. J'étais vraiment surprise. Et
je n'ai pas été aidée par la présence de Saul, de
l'autre côté du meuble, les bras croisés sur la
poitrine. « Mais qu'est-ce que cet objet fait ici ? ai-
je demandé.

— Je l'ai trouvé près de la poubelle, m'a-t-il
répondu.

— Vraiment ?

— Heureusement, c'est *Columbus Day*[1] ! Personne ne l'a ramassé.

— Oh, c'est *Columbus Day* !

— Combien de meubles as-tu déjà jetés ?

— Euh... eh bien... euh...

— Tu n'as pas le droit d'en faire ce que tu veux,
Charlotte. Qu'est-ce qui t'a poussée à le mettre
dehors ?

— Je crois que j'ai quand même *mon* mot à dire

1. Jour férié (12 octobre) commémorant la découverte de l'Améri-
que par Christophe Colomb.

136

dans cette maison. Et quand je t'en ai parlé, tu étais trop occupé. Tu refusais de te laisser déborder par ce genre de problème matériel.

— Je travaillais. Je tombe de sommeil tous les soirs. Je ne peux pas m'arrêter comme ça pour me soucier du mobilier.

— T'arrêter comme ça ! Je te l'ai demandé au mois d'août dernier. Mais non, monsieur devait attendre le moment propice ! Et puis tu es parti quelque part, tu es allé marmonner tes Écritures, t'entraîner aux poignées de mains, ou Dieu sait quoi d'autre ! Je n'en sais rien.

— Bien sûr que tu n'en sais rien. Tu n'as pas assisté à la Journée inaugurale, à Hamden — où ils ont tout expliqué.

— Mais je n'aime pas Hamden. Je hais toute cette histoire. Si j'étais sûre d'avoir le droit de forcer les gens à changer d'avis, j'essayerais de te faire abandonner.

— Je ne te comprends pas.

— Non, je sais. Les prédicateurs ne se posent jamais ce genre de question. Ce en quoi ils ont tort.

— Quelle question ? De quoi parlons-nous ? Écoute-moi. Je ne veux qu'une chose : que tu laisses mes affaires tranquilles. Ne les touche pas. Je m'en occuperai un de ces jours.

— Même si je me romps le cou dessus ? »

Il a passé sa main sur son front, comme quelqu'un d'épuisé. « Je n'aurais jamais cru que tu deviendrais comme ça, Charlotte. Ces meubles m'appartiennent. Et je déciderai d'en faire ce que bon me semble. En attendant, je suis en retard pour mon cours. Au revoir. »

Il est parti en fermant la porte trop doucement. J'ai entendu la camionnette démarrer. J'ai rassemblé mes paquets et les ai apportés à la cuisine où j'ai trouvé ma mère, droite et rigide, sur sa chaise de jardin. Ma mère s'était voûtée, ces derniers temps. Elle n'était plus qu'une grosse femme affaissée. Elle aurait pu s'asseoir n'importe où, mais dans ses moments d'angoisse elle revenait à sa chaise de jardin. Maman avait son air apeuré et agrippait les accoudoirs bourrés d'échardes, de ses mains aux phalanges blanches. « Ne t'inquiète pas, maman. Tout va bien.

— Tu le traites si méchamment. Et il est si gentil, si attentionné. »

Elle aimait Saul plus qu'elle ne m'avait jamais aimée.

« Maman, je dois me défendre.

— Mais tu ne veux pas qu'il parte ?

— Qu'il parte ? » Ah ! C'était exactement ce que je voulais. Je pouvais m'imaginer en train de le poursuivre avec un bâton, comme la fille sur la boîte de détartrant *Dutch Cleanser.* « Hors de ma vue ! Hors de ma vue ! De l'air, de l'air ! » Ce sentiment de désespoir, d'impuissance, s'évanouirait comme du brouillard, si j'arrivais à le faire partir. Je serais enfin libérée de son regard de juge qui notait toutes mes fautes, tous mes péchés, qui s'élargissait pour tenter de me connaître. Je serais enfin débarrassée de sa présence, gentille et attentionnée, qui me culpabilisait éternellement. Mais je n'ai rien dit de tout ça à ma mère. J'ai posé mes paquets sur la paillasse. J'ai embrassé maman sur la joue et je suis partie en balançant mon sac. J'ai traversé la ville jusqu'à *Libby's Grill* et j'ai pris un billet pour New York.

Je crois que ça a été le moment le plus clair, le plus heureux de toute ma vie.

Mais c'était en 1960, souvenez-vous, quand Clarion n'était encore qu'une petite ville endormie, qu'il n'y avait pas beaucoup d'autobus. « Quel jour partez-vous ? » m'a demandé Libby (en 1960, il existait bien encore une Libby).

Je lui ai répondu : « Quel jour ?

— L'autobus passe le lundi et le jeudi, Charlotte. Quel jour voulez-vous partir ? »

Cet endroit ne me laisserait donc jamais partir. On aurait pu croire qu'ils avaient au moins synchronisé les heures de passage des autobus avec celles du ramassage des ordures.

« Jeudi, s'il vous plaît. Demain. »

Et puis il a fallu que je vide mon sac. Elle ne m'a rendu que huit dollars. Mais je me suis dit que le billet valait bien ça : il était suffisamment long pour que je puisse l'enrouler autour de ma taille. Je l'ai soigneusement plié en me sentant calmée et radoucie.

Après ça, il m'a fallu trouver un endroit où attendre tranquillement le jeudi. C'était ridicule que Saul vive chez ma mère. Et tante Aster ne me permettrait pas de me servir de sa chambre d'amis. Pour finir, je suis allée au motel de *la Lune bleue.* Quatre dollars la nuit, une blague pour collégiens aux idées rapides. J'ai dû passer l'après-midi, en collant, allongée sur un couvre-lit tricoté et miteux. Je n'avais pas de télévision à regarder, ni de lime pour me faire les ongles. Ma vie était tout à fait calme, mais je me suis dit que c'était le calme qui envahit les animaux, juste avant le passage à l'action.

C'était à l'époque où ils n'avaient pas encore ouvert la fabrique de rouge à lèvres. Lorsque Saul est rentré de ses cours, je ne crois pas qu'il lui ait fallu plus de vingt minutes pour me retrouver. Tout le monde savait où j'étais allée. Tout le monde m'avait vue dévaler la rue, sans manteau, par une

139

fraîche journée d'octobre. Du moins le disait-il. (En fait, j'avais marché très calmement.) Saul est arrivé au motel, a frappé à ma porte. Deux coups secs. « Charlotte, laisse-moi entrer. Qu'est-ce que tu as ? »

Une force extrême m'a soudainement envahie. Je jubilais. J'avais envie de rire.

« Charlotte ! »

Il était clair, d'après le ton assuré de sa voix, qu'il ne savait absolument pas contre quoi il se battait. J'ai refusé de lui répondre.

Il est parti au bout d'un moment.

Puis tout s'est effondré. Je me suis sentie triste. J'ai cru que quelque chose se brisait en moi. J'aurais aimé effacer tout ce que j'avais fait, abandonner et mourir. Aussi, quand la sonnerie du téléphone a retenti, j'ai sauté sur le récepteur. C'était Saul. Il m'a dit : « Je t'en prie, Charlotte, cesse cette comédie.

— Jamais.

— Tu veux que je me procure une clef auprès de Mrs Baynes et que je vienne te chercher ?

— Tu ne pourras pas. J'ai mis la chaîne de sûreté.

— Écoute-moi. Je sais que tu ne veux pas me quitter.

— Vraiment ?

— Je sais que tu m'aimes.

— Je ne t'aime pas du tout.

— Je crois que c'est à cause de ton état.

— Mon état ? Quel état ?

— Tu es enceinte, n'est-ce pas ?

— Ne sois pas ridicule.

— Tu ne peux pas me tromper. Je me souviens de la naissance de mes frères. Des *tas* de fois, je... Charlotte ? »

J'étais en train de compter. J'ai cherché des yeux un calendrier, mais il n'y en avait pas. J'ai dû compter sur mes doigts en me murmurant des dates.

« Charlotte ?

— Oh, Seigneur Dieu, ai-je hurlé.

— Charlotte, j'aimerais que tu ne prononces pas le nom du Seigneur, en vain. »

Être enceinte m'a affectée de manière totalement imprévue. J'ai tout d'abord connu un regain d'énergie. Je m'activais dans le studio, jetais et classais de lourds cartons, utilisais le vieil appareil sur son pied grinçant jusqu'à ce que le soldat ou la personne en train de poser se lève de sa chaise, l'air inquiet. « Madame, croyez-vous que ce soit raisonnable ? » J'étais plus forte. J'avais besoin de moins de sommeil. Je faisais les cent pas à une heure avancée de la nuit. Mais j'étais très aisément blessée. Je pouvais pleurer pour un rien. Julian, par exemple.

Julian était le plus jeune frère de Saul, le plus beau et le plus paresseux. Il avait un petit air italien qui lui permettait de charmer toutes les filles du lycée. Mais les joueurs ne sont pas aussi épatants que les chansons voudraient nous le faire croire. Ils sont facilement déprimés quand ils sont perdants. Un matin, Julian s'est pointé devant notre porte. Il n'était pas lavé, en haillons, et traînait derrière lui une chaîne de chèques sans provisions, d'ici au Texas. Il s'est affalé sur l'un des vieux lits d'Alberta et a dormi pendant une semaine. Il ne se réveillait que pour prendre ses repas. Quand il s'est finalement levé, il semblait purifié. Comme quelqu'un guéri d'une fièvre. Il a dit qu'il ferait n'importe quoi. Qu'il allait changer complètement de vie,

141

qu'il allait rembourser ses dettes jusqu'au dernier centime. Il a commencé à travailler au magasin et Saul a écrit à tous ses créanciers sur du papier à entête de l'Institut théologique. Il leur a promis de les rembourser dès que nous aurions l'argent.

Lors de ma promenade quotidienne — recommandation du docteur — je passais devant le magasin et je voyais Julian penché sur des tubes et des fils, de l'autre côté d'une vitrine aussi granuleuse qu'un vieux cliché. Dans cette vitrine était exposé ce qui l'était déjà, quand j'étais enfant : une poignée en plastique, un rouleau de papier, les entrailles poussiéreuses d'un phonographe R.C.A. Victor. J'avais envie d'entrer et d'arracher Julian à ce magasin. J'ai failli le faire plus d'une fois.

Mais Julian disait qu'il s'était fixé, qu'il était ici pour toujours, qu'il avait même l'intention de rallier l'Église. « Au Texas, a-t-il dit une nuit, j'ai beaucoup pensé à l'Église. J'ai pensé à ces cantiques qu'on y chante, à tous ces cantiques dont je me fichais comme d'une guigne. Un matin, je me suis réveillé en prison, sans même savoir comment j'avais fait pour y atterrir et je me suis dit : " Si j'en sors, je retourne d'où je viens, je rallie l'Église et je retrouve une vie pure et droite. Je vais aller m'installer avec mon frère jusqu'à ce que je meure de vieillesse ". »

J'ai regardé Saul.

« Tu le leur diras dimanche, lui a-t-il déclaré.

— J'ai pu ainsi faire la connaissance de quelques prisonniers, a poursuivi Julian. J'ai pu savoir pourquoi ils avaient fait de la prison de temps à autre, pourquoi ils n'avaient plus d'espoir. Tu sais comment ils passaient le temps ? Ils mâchaient leur morceau de pain et confectionnaient des statuettes avec. Ils se débrouillaient avec les gardiens pour les vendre à l'extérieur.

— Ça suffit, ai-je dit.

— Des statuettes de Donald Duck, de Minnie Mouse, etc. Des statuettes en mie de pain mâchonnée.

— Je ne veux pas entendre parler de ça », ai-je crié en éclatant en sanglots. Tout le monde m'a regardée, ahuri. « Mais, Charlotte », s'est exclamé Saul. Et ma mère a cherché un kleenex dans son corsage.

J'ai été vraiment bizarre durant tous ces mois.

Notre fille est née le 2 juin 1961, à l'hôpital communal de Clarion. J'ai refusé toute anesthésie, aspirine y comprise, pour être sûre que personne ne la confonde avec un autre bébé. Nous l'avons prénommée Catherine. Elle avait la peau claire, des cheveux châtain clair, mais son visage était celui de Saul.

Dès le début, j'ai su qu'elle était vive et intelligente. Elle a tout fait très tôt : s'asseoir, ramper, marcher. Elle assemblait des mots très courts, avant même d'avoir un an et, peu de temps après, elle s'est mise à se raconter de longues histoires avant d'aller au lit. Quand elle a eu deux ans, elle a inventé une compagne de jeux, prénommée Selinda.

Je savais que c'était normal et je ne m'en suis pas inquiétée. Je lui demandais pardon quand je marchais sur les pieds de Selinda et je mettais un couvert pour Selinda, à chaque repas. Mais au bout d'un temps, Catherine s'est installée à la place de Selinda et a laissé sa chaise, vide. Elle m'a dit qu'elle avait une amie qui s'appelait Catherine et que nous ne pouvions pas la voir. Elle a fini par ne plus parler de Catherine. Nous sommes restés, semble-t-il, avec Selinda. Depuis, nous avons toujours eu Selinda avec nous. Et maintenant que j'y pense, j'aurais peut-être dû me faire anesthésier.

Ils font parfois cette offre gratuite à la radio : indiquez votre nom et adresse sur une enveloppe et envoyez-la nous. Vous recevrez par retour du courrier un pamphlet intitulé : *Et si Dieu n'était jamais venu sur terre ?* Ça me fait toujours rire. J'arrive à imaginer toutes les choses qui ne seraient jamais arrivées si le Christ n'était jamais venu sur terre. L'Inquisition, pour commencer. Et puis, la perte de mon mari au profit de l'Institut théologique de Hamden.

Oh, je l'ai vraiment perdu. Il n'était plus le même Saul Emory. Il avait adopté toute une nouvelle série de règles, d'attitudes, de platitudes, de jugements. Il n'avait même plus besoin de penser. Dans n'importe quelle situation, il n'avait qu'à s'en remettre à ses réponses faciles. Il allait chercher sa religion et s'enroulait dedans comme dans son uniforme de clergyman.

Quand j'ai accouché de Selinda, à l'hôpital communal de Clarion, le révérend Davitt se mourait à l'étage supérieur, juste au-dessus de moi. (Cancer du poumon. Une des petites blagues que vous joue Dieu. Le révérend Davitt ne fumait pas.) A l'automne 61, Saul est devenu pasteur de la *Holy Basis*.

Il ne devait pas être ordonné avant le mois de juin, mais il avait déjà ses ouailles, son papier mural qui imitait la brique et son petit bureau cubique où les paroissiens pouvaient venir lui parler des différentes formes du malheur. Qui plus est, il disait qu'il aimerait me voir assister aux offices. J'ai refusé. Je lui ai déclaré que j'avais, moi aussi, mes droits. Et il m'a répondu que j'avais effectivement mes droits, mais qu'il espérait bien m'y voir assister quand même, parce que c'était très important pour lui.

Oui, j'y suis allée. Ce premier dimanche, j'ai abandonné Selinda au sous-sol, à l'école du dimanche, et je suis allée m'asseoir sur un banc, entre Julian et ma mère. Pour le salut de la congrégation, j'ai essayé de paraître aussi dévote que possible. J'ai essayé de ne pas laisser voir mon effarement quand Saul a fait son apparition dans son costume de clergyman — un étranger. Il a lu les Écritures d'une voix ferme et autoritaire. Les plus vieux membres de la congrégation ont dit « amen ». Les autres ont à peine murmuré. Puis nous nous sommes levés et nous avons entonné un cantique. Nous nous sommes assis à nouveau et Saul a arrangé divers papiers, sur son pupitre. « J'ai ici, a-t-il fini par dire, une coupure de presse, extraite du journal de mercredi dernier : les réponses du Dr Tate. »

Ses mots se sont légèrement répercutés comme s'ils avaient été prononcés dans une gare.

« Cher Dr Tate : Je vous écris pour vous faire part de la difficulté que je ressens à me livrer à mon docteur. Je vous en parle pour vous dire ce que je pense des docteurs et de tout ce qu'ils attendent de nous. Mon docteur me fait venir tous les jeudis et se demande pourquoi mon diabète ne fait qu'empirer. Je lui réponds que je n'en sais rien. Eh bien, Dr Tate, le fait est que je mange beaucoup de

145

pâtisseries sans oser le lui avouer. Je ne veux pas le reconnaître. Je ressens souvent le besoin de me goinfrer. J'abuse aussi du vin. Je sais que le vin n'est pas véritablement de l'alcool, mais je me sens quand même coupable d'en boire pendant la journée. Donc, je ne le lui dis pas. Dr Tate, mon mari ne m'aime plus et fréquente quelqu'un d'autre. Mon fils unique est mort d'une maladie osseuse. Il avait à peine trois ans. Je pèse cent quinze kilos et ma peau est couverte d'acné. Tout le monde dit que ça passe à vingt ans et j'en ai quarante-quatre. Cependant, je ne peux pas me résoudre à raconter tout ça à mon docteur. Vous savez pourquoi ? Parce qu'un docteur se fâche et agit comme s'il ne vous aimait plus, si vous mangez mal, nutritivement parlant. Comment peut-il penser un seul instant que je vais admettre tout ça devant lui ? La question que je voulais vous poser est la suivante : Où est la justice, dans tout ça, Dr Tate ? »

J'étais intéressée. J'ai plié mes gants. J'ai levé les yeux vers Saul, en attendant la réponse du Dr Tate. Mais, au lieu de nous la lire, Saul a posé la coupure de presse, a regardé ses ouailles : « La femme qui a écrit cette lettre, nous a-t-il confié, n'est pas seule. Elle pourrait être vous ou moi. Elle vit dans la peur de la désapprobation, dans un monde où l'amour est conditionnel. Elle se demande quel est le problème. Le seul auquel elle ose poser la question est un médecin patenté.

« Est-ce là que nous en sommes finalement arrivés ? Sommes-nous si éloignés de Dieu ? »

J'ai bâillé et noué mes doigts de gants ensemble.

Ça a été le seul et unique sermon de Saul que j'aie écouté.

Ce qui ne veut pas dire que je ne suis pas retournée à l'église. Oh, non ! Je m'y suis montrée

146

tous les dimanches. Je me suis assise entre ma mère et Julian, avec mon éternel sourire de femme soumise. Je crois que j'en ai même éprouvé un certain plaisir. J'ai tiré du plaisir dans son éloignement, dans ma docilité rêveuse, dans ma surdité personnelle et inaccessible. Ses paroles entraient par une oreille et ressortaient par l'autre, comme le bruit d'une horloge ou d'un océan. Pendant ce temps, je regardais ses mains agripper le pupitre. J'admirais ses merveilleuses lèvres, bien dessinées. Je dressais des plans pour l'attirer dans mon lit. Il y avait quelque chose de magique dans ce banc. Il projetait toutes mes pensées vers le lit, où elles allaient s'évanouir. La contrariété, je crois. Saul ne voulait pas faire l'amour le dimanche. Il était contre. J'étais pour. Parfois, je gagnais. Parfois, c'est lui qui gagnait. Je n'aurais pas raté un dimanche pour un empire.

Pendant les premières années, j'ai émis des espoirs complètement fous. Je me disais qu'il finirait bien par perdre la foi un de ces jours — comme ça. Qu'il passerait à quelque chose d'autre, à quelque chose de neuf. Qu'il rallierait une bande de motards. Pourquoi pas ?

Nous voyagerions, Selinda et moi, sur la selle, derrière lui. Je ceinturerais sa taille de mes deux bras et je reposerais ma joue contre le tissu noir de son vêtement, sur son dos.

Tissu noir ?

Oh, c'était passé dans les faits, maintenant. Même sur une moto, il continuerait de porter ce costume sombre et de brandir sa Bible. Il ne cesserait jamais d'être un prédicateur. Et même s'il cessait de l'être, je n'étais pas si sûre que ça fasse une grande différence. Saul invitait souvent des gens pour le dîner dominical. Des gens sans domicile, des pécheurs du banc des repentis. Parfois, ils restaient. C'est ainsi que nous avions, par exemple, une vieille dame, Miss Feather, au troisième étage. Elle nous avait emprunté une chambre tout simplement, en attendant d'en trouver une autre. Ce qu'elle n'a jamais fait. Ce qu'elle n'a jamais voulu faire, je suppose. Nous avions des soldats, des auto-stoppeurs, des voyageurs de commerce, des paysans de passage, qui regrettaient leurs paroisses et qui étaient heureux de goûter à mes galettes de blé noir. Et, un dimanche, un homme barbu, en bleu de travail, a rejoint le banc des repentis, pendant que la congrégation chantait : *Tout comme je suis.* Saul a interrompu la chorale, est descendu de sa chaire. Il a posé ses mains sur les épaules de l'homme. Puis il l'a embrassé, en prenant sa tête sombre et brillante, qui n'était... mais bien sûr ! Rien d'autre qu'une tête Emory. Linus Emory, celui qui avait fait cette dépression nerveuse et qui avait pu, grâce au décès de sa tante, aller se balader. Toujours aussi déprimé, mais éclairé par cette réunion comme une tasse de porcelaine au-dessus d'une bougie. Nous l'avons ramené à la maison. Il a passé le dîner à nous dévisager, à regarder fixement Selinda. Il était si intensément suspendu à nos lèvres qu'il semblait prononcer les mêmes paroles, en même temps que nous. Même maman, même la vieille Miss Feather qui lui tendait les biscuits brisés, faisaient briller ses yeux. C'est si bon d'être de retour à la maison, nous a-t-il dit. Puis il est monté et s'est emparé d'un des vieux lits d'Alberta, a défait sa valise en carton bouilli et l'a vidée dans une commode.

Vous me suivez toujours ? Nous étions sept à présent. Sans compter ceux qui ne faisaient que passer. Amos était toujours dans l'Iowa où il

148

enseignait la musique, je crois. Et Alberta se trouvait quelque part en Californie. Autrement, nous avions transféré leur maison corps et biens, chez nous. Nous avions leurs lits, leurs chapeaux, leurs fils.

Ma mère elle-même semblait s'être solidifiée, avoir pris un aspect plus sombre. Miss Feather leur avait emprunté leur attitude fière et hautaine. Le visage de Selinda était aussi séraphique qu'un portrait dans un médaillon.

« Tu as remarqué ? ai-je demandé à Saul. C'est fou ce qu'il y a d'Emory, ici. »

Mais Saul n'a fait que hocher la tête en continuant de chercher dans son agenda quelque enterrement ou réunion de jeunes. « J'ai toujours rêvé d'un endroit où mes frères pourraient venir un jour », a-t-il commenté.

C'est *tout* ce dont il avait toujours rêvé.

J'y voyais clair maintenant. J'arrivais enfin à le découvrir : il n'avait été qu'un pauvre G.I. nostalgique, qui désirait un foyer, une femme, une famille, une église. Un type banal. Chaque banc des repentis a le sien. « Tu cherches simplement un moyen pour ne pas rester seul ? »

Mais Saul m'a répondu : « Il n'existe *aucun* moyen pour ne pas rester seul. » Il a refermé son agenda, a regardé le bout du sombre corridor. A nouveau, je n'étais plus certaine. Je savais qu'il m'était après tout impossible de le découvrir. Quel qu'il pût être, il m'avait fallu toutes ces années pour le connaître. Et maintenant, je ne pouvais même pas dire qui il était exactement. Il faudrait donc que je reste toujours à quelques mètres en arrière.

« Et... et l'argent ? » ai-je crié pour m'empêcher d'être attirée vers lui. « Comment va-t-on les nourrir tous ? » (Tout en pensant à sa collection de plats

149

en cuivre — son seul bien — au studio qui rapportait trois francs six sous, au magasin qui arrivait à peine à couvrir les dettes de jeu de Julian — qui rapetissaient et gonflaient comme quelque chose de vivant, selon ses écarts.)

« Le Seigneur y pourvoiera », a déclaré Saul. Et il est parti à sa réunion.

J'ai abandonné tout espoir. Puis, pour ne pas trop m'inquiéter, j'ai pris du recul pour flotter à quelques mètres au-dessus du sol. J'ai appris à regarder les choses avec un humour voulu, qui me démangeait les narines comme lorsqu'on va éternuer. Au bout d'un temps, l'humour m'est devenu une seconde nature. Je n'aurais pas pu le perdre, même si je m'y étais employée. Mon univers a commencé à me paraître... provisoire. J'ai compris que je devais finalement me préparer à partir. Je ne resterais certainement plus très longtemps avec lui. Maintenant, je portais constamment un traveller chèque de cent dollars dans le compartiment secret de mon portefeuille. J'avais acheté mes chaussures de marche. Je n'avais pas l'intention d'emmener quoi que ce soit d'autre, en dehors de Selinda, mon excédent de bagages bien-aimé et encombrant. Quand est-ce que le courant propice allait se présenter et nous emporter ?

Dans le studio, je me surprenais parfois à m'arrêter au beau milieu de mon travail, comme si je guettais son arrivée. Je levais la tête et me calmais. J'étais sur le qui-vive. Puis le client s'éclaircissait la gorge ou tapait du pied et je disais : « Pardon ? » Je me rapprochais très vite de l'appareil que je ne considérais toujours pas comme le mien. C'était celui de mon père.

C'était son studio. C'était ses clichés jaunis qui tapissaient les murs. Je n'étais qu'un oiseau de passage. Mes photos étaient limpides, détendues, touchées par la grâce que les choses ont quand vous savez qu'elles ne sont d'aucune importance, fugitives, provisoires.

11

L'institution Dorothea Whitman était une demeure au sommet d'une colline bordée d'arbres. « Bon Dieu ! » s'est exclamé Jake en l'observant à travers le pare-brise. Nous étions stationnés à la grille dont les pilastres étaient surmontés de globes en pierre spongieuse. Il était six heures du matin. Nous étions tous les deux à moitié endormis et complètement frigorifiés. Nous n'avions pas encore pris notre petit déjeuner. Nous *aurions* pu, mais Jake avait préféré se raser. Il l'avait fait sans eau et son visage avait maintenant un air bizarre, râpeux et neuf. Je me suis dit que nous aurions vraiment mieux fait d'aller dans une cafétéria. Et toujours aucun signe de Mindy Callender.

« Voilà ce qu'elle m'a dit, a déclaré Jake. Elle m'a dit : " Gare-toi à la grille et je vous rejoins. " Bon, ça n'est pas la grille ça ? Qu'est-ce que tu en penses ?

— Ça m'*en* a tout l'air.

— Elle voulait peut-être parler de la porte d'entrée de la maison ?

— Pourquoi appellerait-elle la porte d'entrée une grille ?

— Mais si elle doit se sauver rapidement, tu

comprends. Nous devrions peut-être nous garer un peu plus près.

— Je reste à la grille.

— Je te le dis : encore cinq minutes et j'y vais. Je connais des tas d'endroits où je préférerais être à l'heure actuelle. »

Au sommet de la colline, la grande porte de la demeure s'est ouverte. Une personne est sortie. A cette distance-là, elle ressemblait à l'un de ces petits personnages que l'on trouve sur certains baromètres. Son estomac était circulaire, en forme de fleur. Il précédait le reste de son corps d'au moins soixante centimètres. Elle portait un chapeau de paille, une robe rose, une valise et un balluchon de couleur sombre. Tout en s'avançant vers nous, elle ne nous a pas une seule fois regardés. Elle s'est frayé un chemin, tête baissée. Nous ne pouvions donc voir que la couronne de son chapeau. « C'est Mindy ? ai-je demandé à Jake.

— Non, c'est le gardien.

— Comme je ne sais pas à quoi elle ressemble, je me permets de vous poser la question.

— C'est Mindy. Oui. Elle ne s'habille pas comme tout le monde. Elle est un petit peu excentrique. Comme si elle n'avait pas complètement sa tête. »

Elle était assez proche maintenant, et nous pouvions voir ce qu'elle portait : une robe d'été imprimée, qui n'était pas du tout de mise pour une femme aussi enceinte qu'elle — retenue par des bretelles aussi minces que l'articulation des épaules d'une poupée Barbie. Son chapeau était ceint d'une rangée de petits cœurs brodés. Le balluchon s'est révélé être un chat. « Merde, un chat ! » s'est exclamé Jake.

Mindy a alors levé la tête et nous a regardés. Elle

avait un visage rond, enfantin, un menton en galoche, des cheveux blond blanc qui lui tombaient jusqu'à la taille. Elle s'est arrêtée à trois mètres de la voiture, a posé sa valise à terre, sans sourire. « Eh bien », a dit Jake en soupirant. Il a ouvert la portière, est sorti. « Salut, Mindy.

— Qui est-ce qui est avec toi ?

— Hein ?

— C'est qui cette *dame*, Jake ?

— Oh, elle va faire un petit bout de chemin avec nous. Allez, monte.

— Comment veux-tu que je monte, avec toutes ces portières enchaînées ?

— Monte de mon côté. Dépêche-toi, Mindy. Ils vont bientôt te courir après.

— Tout le monde dort encore. » Elle a fait le tour de la voiture, en tirant sa valise d'un bras raide et en serrant à peine son chat de l'autre. Jake s'est éloigné d'elle. En fait, il n'a pas reculé.

« Eh, je n'emmène pas de *chat* avec nous.

— Mais il est à moi.

— Écoute-moi, Mindy.

— Il m'*appartient.* »

Jake s'est frotté le nez. « Bon, d'accord, d'accord. Fais quand même attention. Qu'il reste sur tes genoux ! » Il a ouvert la portière arrière, a engouffré la valise, puis s'est écarté pour la laisser passer. Mais Mindy n'a pas bronché. « Je ne vais pas m'asseoir devant ? a-t-elle demandé.

— Pourquoi ?

— Ça fait des mois qu'on est séparés et tu as envie de me demander *pourquoi ?* »

Elle s'est mise tout à coup sur la pointe des pieds et a passé son bras libre autour du cou de Jake. Elle était vraiment minuscule. Son estomac était ce qu'il y avait de plus gros en elle. Et Jake évitait prudemment de le regarder. « Nous avons des tas de projets à faire », a-t-elle dit en lui embrassant le coin de la bouche. Puis elle s'est glissée sur la banquette arrière, a un peu remué, et s'est tournée vers moi. « Je suis Mindy Callender.

— Et moi, Charlotte Emory.

— Poooouh ! D'où vient cette vieille bagnole ? Ça sent la poubelle, là-dedans. »

C'était peut-être vrai, mais je ne sentais que son parfum : fraises au sucre. Dès que Jake s'est installé au volant, il a baissé un peu la vitre. « Vous n'allez pas avoir froid ? ai-je demandé à Mindy.

— Oh, non ! J'ai des bouffées de chaleur.

— Des quoi ?

— Ça fait sept mois que j'ai chaud. Je ne peux pas supporter de couverture. Je ne porte pas de chandails. Ça n'arrive qu'à quelques femmes seulement. C'est très rare. » Elle a lancé un coup d'œil sur Jake qui ne disait rien. Il a mis le moteur en marche et a démarré. « Qu'est-ce que c'est que ce drôle de bruit ? a demandé Mindy.

— Quel bruit ?

— Jake, je ne sais rien de cette voiture, mais où as-tu dit que tu te l'étais procurée ?

— C'est un ami qui me l'a passée.

— Ça doit être encore quelque chose, cet ami. » Elle s'est enfoncée dans son siège, a enlacé son chat. Il était d'une couleur brun marbré, avait des yeux jaunes et des oreilles abîmées. Il avait visiblement horreur qu'on le prenne dans les bras. Il a d'abord essayé de se libérer, puis il a renoncé. Pas vraiment : ses yeux étaient carrés ; le bout de sa queue remuait. Et chaque fois que Mindy le caressait, il lui faisait comprendre qu'il n'en avait pas envie. « Je crois bien que Plymouth aurait préféré rester », a constaté Mindy.

156

— Qui ? a demandé Jake.

— Plymouth. Mon chat.

— A propos de Plymouth, pourquoi as-tu besoin de te trimballer avec un chat, toi qui ne les as jamais aimés ?

— A l'institution, nous avons toutes un animal. On nous a dit que c'était thérapeutique.

— Thérapeutique ?

— Certaines filles ont des chiens. D'autres, des oiseaux.

— Je suis contre les oiseaux. Je n'aime pas du tout ça.

— Nous faisons des choses, aussi. C'est thérapeutique. Et nous avons des tas d'activités, de discours, de cours, etc. La nuit dernière, nous avons eu une séance de " soins à donner aux enfants ". C'est pourquoi je ne pouvais pas te voir, hier. Nous allions donner un bain à une poupée en caoutchouc et je ne voulais pas manquer ça. Pour rien au monde. »

Jake a freiné brusquement. La route était déserte, de toute façon. Il s'est retourné et a regardé fixement Mindy. « Regarde la *route,* Jake, lui a-t-elle dit.

— Réglons d'abord ce problème, veux-tu ? Tu ne pouvais pas nous voir hier soir parce qu'il fallait que tu donnes un bain à une poupée en caoutchouc ?

— Il y avait des tas d'autres choses, également.

— Mindy Callender, tu sais où nous avons passé la nuit ? Nous avons dormi dehors. Dans la voiture, dans les bois, et sans bouffées de chaleur pour nous réchauffer.

— Qui nous ? a demandé Mindy.

— Charlotte et moi. Qui d'autre ? »

Elle m'a regardée de plus près. Ses yeux étaient

157

mouchetés. « Je n'ai pas très bien compris, a-t-elle dit. D'où est-ce que vous venez ?

— De Clarion, a répondu Jake.

— Elle a fait tout ce chemin avec toi ?

— Elle va... euh... jusqu'en Floride, a-t-il répondu. Elle nous dira au revoir à ce moment-là.

— En Floride ! Oh, Jake, c'est là que nous allons ? » Elle s'est relevée pour l'embrasser ; elle m'a recouverte de sa robe et a poussé Jake. La voiture a fait une embardée. Le chat a sauté et a atterri sur la banquette avant. Il s'est secoué, l'air furieux et insulté.

« Surveille-le, veux-tu ? a dit Jake. Je me suis dit que nous pourrions après tout nous mettre au *chaud* pour les deux mois à venir. Pas de mal à ça. En plus, Oliver est en Floride.

— Oh, Oliver, Oliver. Toujours Oliver ! » a dit Mindy en enlevant les poils bruns qui parsemaient sa robe. Maintenant que le chat n'était plus sur ses genoux, je pouvais voir qu'elle avait également un sac en vinyl blanc, brillant. Il avait la forme d'un cœur. Il était pareil à ces sacs que portent les petites filles pour aller à l'école du dimanche. Elle a surpris mon regard et a saisi le sac par la bandoulière. « Vous l'aimez ? m'a-t-elle demandé. Il est tout neuf.

— Il est très joli, ai-je répondu.

— J'ai pensé qu'il irait très bien avec le reste. » Elle a levé son poignet, fin et noueux, auquel pendait un petit bracelet. Avec des pendeloques en forme de cœur — de toutes les tailles et de toutes les couleurs. La pierre rose de sa bague avait la forme d'un cœur. Des cœurs ornaient également sa robe. « Le cœur est mon *signe,* a dit Mindy. Quel est le vôtre ?

— Je n'en ai pas vraiment un.

158

— Vous êtes mariée, Charlotte ?

— Bien sûr qu'elle est mariée. Laisse-la tranquille, a grogné Jake.

— Je posais simplement une question.

— Elle n'a pas besoin de toutes tes questions indiscrètes.

— Écoute, Jake. Nous avions une conversation bien banale sur mon sac, et la seule chose que je lui demandais...

— Tu as de l'argent dans ton sac ? a demandé Jake.

— Hein ? Je n'en sais rien. Un peu, je crois.

— Combien ?

— Et c'est toi qui parles de questions indiscrètes !

— Écoute, j'ai quitté la maison en oubliant mon portefeuille.

— Comment as-tu pu faire une chose pareille ?

— Peu importe comment. C'est arrivé, un point c'est tout. Combien as-tu ? »

Mindy a ouvert son sac et l'a fouillé. « Dix, quinze, seize dollars et quelques cents, il me semble.

— Ça n'est pas beaucoup.

— Eh bien, si monsieur n'est pas content, qu'il aille se faire cuire un œuf. »

Nous avons dépassé un camion rempli de poulets en cages. Il y a eu un silence, puis Jake a dit : « On te permet d'avoir de l'argent sur toi, dans cette institution ?

— Bien sûr.

— A quoi te sert-il ?

— Au cas où nous voudrions aller nous promener en ville ou faire quelque chose comme ça. Nous acheter un soda, un shampooing ou une revue de cinéma.

— Tu te balades en ville ? Quand tu veux ?

— Qu'est-ce qu'il y a de mal à ça ? »

J'ai saisi la poignée de la portière et j'ai attendu. Mais Jake n'a rien ajouté. Pas un mot. Il a simplement continué de conduire, le visage aussi impassible qu'une pierre.

Dans les toilettes du snack où nous nous étions arrêtés pour prendre notre petit déjeuner, Mindy m'a demandé que je lui fasse des couettes. « J'avais peur de les faire moi-même, a-t-elle dit, et ma compagne de chambre dormait.

— De quoi aviez-vous peur ?

— Eh bien, il ne faut pas que je lève les bras trop haut. Je pourrais étrangler le bébé avec son cordon ombilical.

— Mais...

— De quoi ai-je l'air ? »

Elle avait l'air d'avoir douze ans. Elle paraissait même plus jeune que ma fille, avec ses deux petites couettes qui se secouaient, son regard bleu et confiant. Dans la glace, à côté d'elle, j'étais tout à coup effacée. J'avais l'air d'une femme âgée, aux cheveux plats, portant un imperméable dans lequel elle avait visiblement couché. « Vous ne vous mettez pas de rouge à lèvres ? m'a demandé Mindy.

— Du rouge à lèvres ? Non.

— Vous voulez peut-être vous servir du mien ? »

Elle m'a tendu son bâton, déjà ouvert — quelque chose de rose, à l'odeur fruitée. Je le lui ai rendu. « Merci, quand même.

— Allez, vous devriez vous mettre un peu de couleur.

— Non, vraiment, je...

160

— Vous voulez que je vous le mette ?

— Non, je vous en prie.

— Écoutez-moi. Je maquillais toutes les filles, à l'institution. Je veux dire qu'il y avait des tas de filles qui n'avaient jamais su quoi faire d'elles-mêmes. Restez calme, une minute. Ne bougez pas.

— *Assez !* »

Elle a eu l'air affolé. Elle a reculé d'un pas, en tenant toujours son bâton de rouge.

« Oh, je suis désolée, lui ai-je dit.

— Ça n'est rien », a-t-elle murmuré. Elle a refermé le bâton de rouge en silence et l'a glissé dans son sac. « Bien ! » Mais quand elle a relevé les yeux, j'ai vu que son visage était pâle et tendu, plus petit qu'avant.

« Je vous en supplie, ne vous sentez pas coupable, lui ai-je dit. Je ne voulais pas ressembler à quelqu'un d'autre. Je veux dire... ai-je ajouté à la blague, et si j'étais restée *coincée* dans cet autre personnage ? Comme lorsqu'on louche, vous savez ? Votre mère ne vous a jamais mise en garde à ce sujet ? »

Mindy a dit : « Oh, Charlotte, vous croyez qu'il est heureux de me voir ?

— Bien sûr. Il est très heureux. »

Nous roulions plus lentement maintenant, car nous devions nous arrêter très fréquemment. Le chat tout d'abord avait mal au cœur. De temps à autre, il émettait un gémissement sourd, étouffé. Jake jurait et freinait, puis conduisait la voiture sur le bas-côté de la route. Mais le chat ne voulait pas sortir de la voiture. Nous l'appelions : « Plymouth ? Ici, Plymouth », mais il s'aplatissait sous le siège et nous n'avions plus qu'à nous asseoir et à écouter en désespoir de cause ses petits bruits étouffés.

« C'est thérapeutique, ça ? » demandait Jake. Et puis Mindy avait tellement de crampes aux pieds. Chaque fois que ça la prenait, nous devions nous arrêter pour qu'elle puisse sortir, se dégourdir les jambes. Nous attendions, penchés sur la carrosserie et nous la regardions claudiquer dans un champ parsemé de fleurs et de boîtes de bière. Il faisait vraiment chaud à présent. La lumière était aveuglante et me faisait loucher. Mindy ressemblait à un petit robot mû par la lumière du soleil.

« Ça se calme ! a-t-elle annoncé. Je sens que ça se calme !

— C'est à ces moments-là que je regrette de ne pas fumer, a dit Jake.

— Je sens tous mes muscles s'apaiser, se détendre. »

Le blouson de Jake a gonflé dans le vent. Il s'est affalé près de moi. Nos coudes se touchaient. Nous étions comme des parents faisant prendre de l'exercice à leur enfant dans le parc. « *Tu* as eu des enfants ? », m'a-t-il demandé brusquement, comme s'il avait lu mes pensées.

J'ai acquiescé.

« Et tu n'as jamais eu de crampes dans les pieds ?

— Non.

— C'est dans sa tête.

— Oh, j'en doute fort. »

Je sentais qu'il m'observait. J'ai regardé ailleurs. Et puis il m'a demandé : « Combien ?

— Combien quoi ?

— Combien d'enfants ?

— Deux.

— Ton mari aime les gosses ?

— Oui, bien sûr.

— Qu'est-ce qu'il fait?

— Comment ça, qu'est-ce qu'il fait?

— Oui, pour gagner sa *vie*? Où as-tu la tête, Charlotte?

— Oh, il est... eh bien, il est pasteur. »

Jake a sifflé.

« Tu me racontes des histoires.

— Non. »

Mindy est revenue vers nous, en portant une gerbe de fleurs; « C'est passé », a-t-elle annoncé. Mais Jake l'a regardée d'un œil vide, comme s'il se demandait ce qui avait bien pu passer.

Aux environs de midi, nous avons dépassé une pancarte ornée d'oranges en plastique et qui nous souhaitait la bienvenue en Floride. « Youpi! a crié Mindy. Jusqu'à quand roule-t-on, maintenant?

— Pour toujours, lui a répondu Jake. Tu n'as jamais vu une carte des États-Unis? Nous roulons sur son gros orteil.

— Mais je suis fatiguée de rouler. On ne peut pas s'arrêter dans un motel? Miss Bohannon dit que les longs déplacements ne sont pas bons pour nous.

— Qui est Miss Bohannon?

— C'est une infirmière. C'est elle qui nous fait le cours sur les soins à donner aux enfants. »

Jake a froncé les sourcils et a accéléré. « Encore autre chose, a-t-il dit. Je ne *comprends* pas pourquoi elles vous offrent ce genre de cours. Soins à donner aux enfants!

— Pour nous apprendre à nous occuper d'un enfant, imbécile!

— Ça me paraît inutile, si tu veux mon avis.

Vous savez toutes que vous allez faire adopter vos gosses.

— Bien sûr, mais celles-là n'assistent pas au cours. A la place, on leur apprend à devenir de bonnes maîtresses de maison.

— Ah », a commenté Jake. Nous avons encore roulé pendant quelques instants. Il a ôté le pied de l'accélérateur. « Un instant, s'est-il exclamé.

— Hein ?

— Tu n'es tout de même pas en train de me raconter que tu comptes garder ce gosse ?

— Si. Bien sûr.

— Écoute-moi. Je ne pense pas que ce soit une très bonne idée.

— Mais... Jake ? Tu ne veux pas dire que nous devrions...

— *Nous* ? »

Mindy m'a regardée. J'ai détourné les yeux et j'ai regardé fixement la station Shell devant laquelle nous passions.

« Qu'est-ce que tu cherches, Mindy ? a demandé Jake. Où veux-tu en venir ? Tu espères peut-être que nous allons nous marier, ou quoi ?

— J'y compte bien, a déclaré Mindy. Pourquoi aurais-tu fait tout ce chemin ? Tu dois quand même éprouver un *petit quelque chose* pour venir de si loin.

— Je suis humain, c'est tout, a répondu Jake. Même quand ils détournent un avion, ils laissent les enfants sortir libres. Même quand ils se battent pour des bouées de sauvetage, ils sauvent d'abord les gosses !

— Bouées de sauvetage ? Quoi ? De quoi parles-tu ?

— Je suis venu pour sortir un bébé de prison. Ah, drôle de prison ! On dirait que tu m'as raconté un gros mensonge !

— Ça n'était pas un mensonge ! Comment peux-tu dire ça ? Maintenant, écoute-moi, Jake Simms. Tu ne vas pas te tirer. Tu as fait tout ce chemin. Tu m'as fait sortir de l'institution. Tu m'as emmenée dans un autre État. Et maintenant, tu voudrais changer d'avis ? Non, monsieur. On va se marier, avoir un petit bébé et la plus belle maison que tu aies jamais vue.

— Certainement pas !

— Mais nous pourrions rester ici, en Floride, si tu veux. Nous pourrions nous installer près d'Oliver. Ça ne serait pas chouette ? Le climat serait vraiment le meilleur possible pour les enfants », a-t-elle ajouté en se tournant vers moi. « Je veux dire qu'ils n'attraperaient pas autant de rhumes et que nous n'aurions pas besoin d'acheter tous ces vêtements chauds. Ce serait quand même meilleur marché. Et j'ai toujours aimé les climats chauds. Je m'arrangerai pour que la maison ait l'air d'un perpétuel été, pleine de couleurs vives, de chaises paillées, de rideaux blanc écru, avec des... vous savez... oh, comment appelle-t-on ça ?

— Des embrasses à volants, ai-je dit.

— Oui, c'est ça. Des embrasses à volants. C'est ce que nous aurons. Des embrasses à volants. Partout sauf dans la salle de séjour. Je crois que nous aurons des rideaux en fibre de verre dans cette pièce-là. Dorés, vous savez, ou peut-être vert avocat. Qu'est-ce que tu préfères, Jake ? Dorés ? »

Jake regardait droit devant lui.

« Vert avocat ? »

Le décor défilait sous nos yeux : agents immobiliers, garages à bateaux, marchands de pralines. Tout semblait sale. Si c'était ça la Floride, je n'aimais pas du tout. Je n'aimais pas non plus la façon dont le soleil brillait ici — blanc et aveuglant.

165

Il écrasait la toiture des étalages qui bordaient le bas-côté de la route.

« Jake, j'ai à nouveau une crampe », a dit Mindy d'une petite voix.

Jake a seulement changé d'expression. Il a ralenti, s'est garé et a stoppé le moteur. Le chat a émis un miaulement, sous la banquette arrière. Jake est sorti. Nous nous sommes toutes les deux faufilées derrière lui. Nous étions aux abords d'une petite ville minable qui, selon les panneaux indicateurs, s'appelait Pariesto. Mindy ne pouvait marcher que sur du gravier jonché d'immondices, chauffé à blanc, parsemé de mica, aveuglant. Elle s'est mise à avancer quand même, très rapidement, mains jointes sous l'estomac.

« Maintenant, ne viens pas me dire d'aller la rejoindre », m'a lancé Jake.

J'étais surprise. « Moi ?

— N'est-ce pas ce que font les bonnes femmes ? " Oh, rejoins-la, Jake. Va voir si tu peux l'aider. "

— Mais... Je n'ai rien dit.

— Mais tu étais sur le point de.

— Non ! »

Mindy titubait dans ses petites sandales. Elle est tombée sur un genou.

« Va voir ce qu'elle a », m'a ordonné Jake.

J'ai couru vers elle. Au moment où je la rejoignais, elle s'est relevée. « Mindy ? Ça va ?

— Oh, oui », a-t-elle répondu en nettoyant sa robe. Elle avait les yeux baissés. Ses cils étaient longs et blancs, collés par le mascara. « Je suis censée pointer les talons, a-t-elle dit. C'est ce qui fait passer les crampes, paraît-il. Si je pose seulement mes talons sur le gravier, ici... » Elle s'est arrêtée et m'a regardée. « Charlotte, ça n'était pas un mensonge. Vous ne pouvez pas le lui expliquer ?

166

Il ne comprend pas. Je veux dire que c'est vraiment une prison quand on n'a pas la possibilité de vivre ailleurs. N'est-ce pas ?

— Oui, bien sûr. Vous voulez faire demi-tour, maintenant ?

— Je n'ai pas le choix. Il devra aller jusqu'au bout », a-t-elle murmuré en se laissant guider. « Ça n'est pas une partie de plaisir pour *moi,* vous savez. C'est long. Surtout au sixième mois. Je suis fatiguée de l'attendre et je crois que je me suis arrêtée de l'aimer. Je crois vraiment que je ne l'aime plus. Mais que puis-je faire d'autre ? »

Nous avons marché sur la bande de gravier en nous frayant un chemin entre des sachets de cellophane, des emballages de bonbons. Jake était remonté en voiture et nous attendait. Il était assis à la place du passager, la tête basse, enfouie dans ses mains.

A partir de Pariesto, c'est Mindy qui a pris le volant. Elle nous a dit que ça lui permettait d'éviter les crampes. Je me suis assise à ma place habituelle et Jake s'est mis au milieu. Il faisait chaud, maintenant. Mais il a gardé son blouson, col relevé, comme s'il voulait se protéger. Le vent a agité ses cheveux et les a roulés en boucles humides. Mon visage était râpeux et salé. Seule Mindy, branchée sur son thermostat individuel et surprenant, semblait tout à fait à son aise. Elle gardait les coudes relevés, le menton pointé vers le haut et conduisait à une allure rapide et régulière qui la mettait peu à peu en forme. Au bout de quelques minutes, elle s'est mise à fredonner, puis à chanter. Elle chantait : *L'amour nous permettra de rester ensemble.*

167

Quand son pied s'est mis à marquer la cadence sur la pédale de l'accélérateur, Jake lui a dit : « Tu ne voudrais pas te calmer un peu ? » Le reste du temps, il l'a laissée faire ce qu'elle voulait. Il s'est enfoncé dans son siège, bras croisés sur la poitrine, tête renversée en arrière. J'aurais cru qu'il dormait si je ne l'avais pas regardé de plus près et si je n'avais pas remarqué la couleur grise de son iris.

Tard dans l'après-midi, dans une ville dont je n'ai pas retenu le nom, nous nous sommes arrêtés devant un Woolworth. Mindy voulait y acheter un verre de lait. « D'accord, a dit Jake. Mais si je ne me trompe pas, nous ne sommes plus qu'à deux heures de Perth. Tu ne peux pas tenir jusque-là ?

— Ça n'est pas pour moi, c'est pour le bébé. Si c'était pour moi, je pourrais tenir éternellement. Je déteste le lait. Tu viens ? »

Elle est sortie de voiture dans un tourbillon rose et nous l'avons suivie à l'intérieur du Woolworth. C'était un *vieux* magasin aux planchers sombres et craquants, à l'odeur de pop corn. Il y avait des étalages de bombes de laque Spray-Net, de faux cils, de lunettes bariolées, de graines de moutarde, d'objets que je croyais disparus depuis longtemps. Mindy s'est emballée pour un poivrier-salière en forme de lampe à pétrole et s'est arrêtée pour l'acheter. Je m'attendais à ce que Jake lui dise de se dépêcher, mais il n'en a rien fait. Il est resté là, mains dans les poches, visage impassible et vide, regard fixé sur une bande dessinée de Batman, par terre. Puis nous sommes allés au bar où Mindy a commandé son verre de lait. « Brrrk ! » s'est-elle exclamée en voyant le verre. « C'est si blanc, si épais ! » La serveuse s'est vexée et est partie en bousculant tout sur son passage avec son chiffon. « Bon, c'est pour *toi*, Elton », a dit Mindy en tapotant son ventre. Elle s'est mise à boire, gorgée après gorgée. « Nous allons l'appeler comme ça à cause d'Elton John », m'a-t-elle confié. Jake étudiait une réclame des années 40 : un milkshake grisâtre et un hot-dog en plastique rose. J'ai feuilleté un journal abandonné, à la recherche des *Peanuts*.Après les avoir trouvés, ils ne m'ont même pas fait rire.

De retour dans la rue, nous avons été aveuglés pendant un moment. Tout était si chaud, si brillant. Une horde de motos étranges — à longues pattes — semblables à des mantes religieuses, sont passées devant nous. Étincelantes. Jake s'est essuyé le visage du revers de sa manche. « La prochaine fois, rappelle-moi de me procurer une voiture avec *air conditionné*, m'a-t-il murmuré. Il va au moins faire soixante-cinq degrés à l'intérieur de celle-là. »

Comme s'il avait tiré sur une sonnette d'alarme, Mindy a crié : « Oh, non ! » et elle s'est mise à courir.

« Qu'est-ce que j'ai dit ? » m'a demandé Jake. J'ai haussé les épaules.

Mindy a tiré sur les portières — d'abord sur celles fermées par des chaînes, puis sur les autres. Elle a disparu de notre champ de vision. Quand nous avons fait le tour et que nous sommes arrivés côté conducteur, elle était sur le dos, les bras sous les sièges et tapotait la moquette poussiéreuse. « Plymouth ? Plymouth ?

— Nous avons laissé les fenêtres ouvertes, ai-je dit à Jake.

— Vous avez laissé la *vôtre* ouverte », a-t-elle crié en se redressant. Elle avait une trace noire en travers du nez et ses couettes étaient défaites. « La mienne était fermée aussi hermétiquement qu'une bulle. Vous croyez que j'aurais oublié une chose pareille ?

— Oh, Mindy, je suis désolée, ai-je dit. Mais je suis sûre que nous pouvons...

— M...iel ! Il serait mort de toute façon, si nous avions fermé les fenêtres, a dit Jake. Tu ne peux rien reprocher à Charlotte.

— C'est à vous deux que je fais des reproches. A tous les deux. Vous ne vouliez pas de ce chat. Plymouth ? Oh, qu'est-ce qu'il va faire, maintenant ? Dans cette ville qu'il n'a jamais vue de sa vie ? Après tout, il n'a peut-être même pas compris qu'il avait changé d'endroit — planqué comme il l'était sous la banquette. A quoi doit-il penser, maintenant qu'il s'est sauvé par la fenêtre et qu'il a découvert que tout était différent ?

— Mindy, a dit Jake. La seule chose que je sache, c'est qu'il va...

— Tu ne sais rien de rien. Maintenant, tu vas aller chercher ce chat avec elle, tu m'entends ? »

Elle a frappé le trottoir de sa sandale. Une veine bleu pâle vibrait sur son cou. La bouche de Jake s'est affaissée. « Mindy ? a-t-il murmuré. Quelle mouche t'a piquée ? »

Mais elle n'a pas répondu.

« Tu as changé, Mindy. Tu es devenue méchante et dure.

— Oui, peut-être. Mais c'est toi qui m'as poussée à le devenir, Jake Simms. Je ne suis pas devenue comme ça toute seule. »

Ils se sont regardés. Ils étaient si immobiles que j'entendais leur respiration.

Puis Jake a dit : « Eh bien, le... le chat. Je crois qu'il vaudrait mieux que je parte à sa recherche. Tu viens, Charlotte ?

— D'accord. »

170

Nous avons abandonné Mindy près de la voiture, au cas où le chat reviendrait de lui-même. Nous avons regardé sous chaque voiture en stationnement, à la recherche des yeux perçants de Plymouth. « Il sait son nom, vous croyez? ai-je demandé à Jake.

— Tout va mal », a grogné Jake.

Je lui ai pris le bras. Nous avons encore dépassé quelques voitures sans même jeter un coup d'œil dessous. Nous sommes arrivés au bout du pâté de maisons et nous nous sommes arrêtés. Nous avons regardé la vitrine d'une agence de voyages, sur notre gauche. « Voilà un sport que je n'ai jamais pratiqué », a-t-il dit finalement. Il regardait une affiche de sports d'hiver. « Tu as déjà fait du ski?

— Jamais. J'aurais bien aimé, pourtant.

— Tu crois que c'est dangereux?

— Un petit peu, je crois. Peut-être.

— J'ai comme le sentiment que je serais doué. Je sais que ça a l'air prétentieux.

— On aurait peut-être mieux fait d'aller vers le nord.

— Dans un endroit bien froid.

— Là où l'air est clair et vif.

— Oui, a-t-il dit en soupirant.

— Oui. »

Puis j'ai eu une idée. « Écoutez. Et si quelqu'un avait piqué Plymouth?

— Piqué?

— Il pourrait bien être à des kilomètres d'ici à l'heure qu'il est. Il pourrait bien être à l'autre bout du comté.

— Oui, c'est ça. Mais, bien sûr! Il pourrait être n'importe où! Pas la peine de le chercher plus longtemps. »

Nous nous sommes séparés et nous sommes

171

retournés vers la voiture. Mindy était penchée à la portière. A cette distance-là, elle semblait plus âgée, moins gonflée d'espoir. Elle étudiait ses pieds et, à la façon dont elle était courbée, j'ai deviné qu'elle avait ces maux de reins qu'on a en fin de grossesse. Je ne crois pas qu'elle s'attendait vraiment à ce qu'on retrouve son chat. Elle a à peine levé les yeux quand nous sommes arrivés près d'elle. « Mindy... », a dit Jake mais elle lui a intimé l'ordre de se taire, d'un geste las. Elle se tenait le ventre à deux mains. « On ferait bien de partir », a-t-elle conclu.

Nous avons repris nos places habituelles. La mienne semblait avoir pris l'empreinte de mon corps. Je savais exactement où placer mes pieds pour ne pas renverser le bol de glace fondue, par terre. « Ce chat n'était pas heureux avec nous, de toute façon, a dit Jake. Il vaut mieux qu'il en soit ainsi. Tu ne crois pas ? »

Mindy n'a pas répondu. Elle a serré les mâchoires, a froncé les sourcils en regardant droit devant elle et a passé la marche arrière. Nous avons heurté une voiture qui était loin derrière nous. Jake a posé son bras sur le rebord du siège de Mindy. « Très bien, tu fais ce qu'il faut, a-t-il dit. Tu veux avancer, je pense. Signale alors à ce type que tu arrives. »

Mindy a baissé la vitre, a tendu la main comme un ruban usé et froissé. La voiture est allée au hasard, dans la rue. Elle est passée à l'orange, a parcouru plusieurs mètres de façon incontrôlée. Jake s'est penché : « Eh, Mindy... », s'est-il exclamé.

Nous sommes arrivés devant une chicane zébrée, installée au beau milieu de la chaussée. Deux agents de police la gardaient, bras croisés, et nous tournaient le dos. Leur attitude semblait lourde, bovine

172

et entêtée. Étuis à revolver, talkies walkies et menottes pendaient à leurs ceinturons — du même cuir noir granuleux. « Bon Dieu », a grogné Jake. Mindy a arrêté la voiture à la dernière minute. « Demi-tour, lui a dit Jake. Fais demi-tour sous leur nez.

— Hein ?

— Vous ne pouvez pas faire ça, ai-je dit à Jake. C'est une rue à sens unique. Vous n'avez qu'à garder votre calme et à profiter du défilé.

— Le défilé ? »

Un major blanc et or se pavanait de l'autre côté de notre pare-brise et projetait sa baguette argentée dans les airs. Les cuivres gueulaient derrière lui. « Oh, le *défilé* », a dit Jake.

Mindy s'est mise à pleurer. Nous l'avons tous les deux regardée.

« Mindy ? a murmuré Jake.

— Tout est contre moi, a-t-elle gémi. Rien ne se passera jamais comme je l'ai rêvé ! Nous n'arriverons *jamais* en Floride ! »

Elle a posé sa tête sur le volant qu'elle a encerclé de ses deux bras. Elle s'est mise à pleurer très fort, comme une enfant. Mais nous ne pouvions l'entendre que lorsque cessait la chanson : *Roi de la route.* Elle venait sur nous en provenance de l'ouest. « Mindy, qu'est-ce qu'il y a ? a demandé Jake. Tu te sens bien ? »

Elle a secoué la tête.

« Tu n'as pas mal ? Tu n'as rien ?

— J'ai mal partout », a-t-elle dit d'une voix étouffée. Creuse comme une cloche. « Je suis seulement jeune ! Je ne peux pas y arriver toute seule ! »

Jake a tendu le bras et a coupé le moteur. La voiture a tremblé et s'est arrêtée. Il semblait que *Roi de la route* avait gagné. L'orchestre passait devant nous — gosses du lycée, petits garçons

173

chétifs aux pommes d'Adam naissantes et filles en nage. Mais la tête de Mindy ne bougeait pas. Jake me regardait comme s'il attendait quelque chose de moi. « Charlotte, tu ne peux pas m'aider ? »

Je ne sais jamais ce qu'il faut faire au moment où le problème se pose. Je lui ai donné le kleenex que j'avais sorti de mon sac.

« Merci bien. »

J'ai dit : « Ou peut-être un... Voulez-vous que j'aille chercher un peu d'eau ? »

Il a regardé Mindy qui continuait de pleurer. Je ne sais pas comment j'aurais fait pour en trouver de toute façon. La rue était bloquée. Des voitures s'étaient rangées autour de nous, derrière nous. Des gens étaient sortis des voitures et s'étaient assis sur les capots, en bras de chemises. Un homme est passé avec un énorme arbre de ballons. « Voulez-vous un ballon ? ai-je demandé à Mindy.

— Charlotte, pour l'amour du ciel, s'est exclamé Jake. Tu ne peux pas trouver autre chose ?

— Je... je pensais seulement... *Selinda* en aurait voulu un. »

Mais ça n'était pas vrai. Selinda n'en aurait pas voulu non plus. La vérité était que j'avais de la peine pour Mindy et pour Jake. Je ne savais pas pour lequel j'avais le plus de peine. Je déteste ce genre de situation où on ne peut pas savoir clairement qui a raison et qui a tort. J'étais lâche. J'ai préféré regarder le défilé. Deux chevaux, des Clydesdales, sont passés. Ils tiraient un char de bière et mes yeux ont suivi leurs pattes dans leur long voyage solitaire. Les Clydesdales ont laissé derrière eux de gros tas de crottin. Ce détail m'a amusée. Il y a des moments où ce genre de détail peut vous faire monter en spirale au sommet d'une montagne, vous entraîner à des kilomètres — loin, loin.

Puis ça a été le tour des majorettes, flanquées d'une dame fleurie portant un petit sac-poudrier. « Attention où vous mettez les pieds, les filles ! n'arrêtait-elle pas de dire. Il y a du crottin devant vous ! » Les majorettes étaient peut-être aveugles sous leurs toques à visières, mais évitaient, quand il le fallait, les obstacles avec grâce. Les soldats étaient plus courageux et marchaient en plein dedans. Un petit noir, une béquille jetée sur l'épaule comme un fusil, trottinait à leurs côtés. Il balançait un bras en caoutchouc, riait et roulait des prunelles à la vue de ses amis. Je n'avais jamais vu quelqu'un aussi content de lui.

« Où est donc passé ce kleenex ? m'a demandé Jake.

— En voilà un autre.

— Mindy ? Tu devrais te redresser et regarder. Mindy, il y a un grand char en forme de bateau avec une reine de beauté, tout au sommet. La chair à saucisse Grande Classe. J'*en ai déjà* mangé. »

Mindy a eu un hoquet, mais n'a pas relevé la tête. Jake m'a regardée. « Qu'est-ce que je dois faire ?

— Hmmm...

— *Tu* es censée savoir toutes ces conneries. Qu'est-ce que je dois faire maintenant ?

— Oh, c'est le jour des *Pères fondateurs*.

— Hein ? »

J'ai indiqué du doigt une vieille dame minuscule, aux longs cheveux blonds. Elle portait une mini-jupe et brandissait une pancarte où était inscrit : PÈRES FONDATEURS 1876-1976, au-dessus de quatre visages d'hommes dessinés au crayon. Leurs bouches étaient très effacées — CENT ANS DE PROGRÈS.

« Je savais bien que ça n'était pas une fête

normale, a commenté Jake. Seigneur, regarde sa coiffure. Tu crois qu'elle est vraie ?

— Non. C'est une perruque. Une Saran ou quelque chose du genre.

— Une Dynel, peut-être. C'est ce que ma sœur porte. Une Dynel. »

Mindy s'est redressée, a essuyé son visage du revers de sa main. Des traces de larmes lui zébraient les joues et son mascara lui avait fait des yeux de raton laveur. « Mindy ! a dit Jake. Tu veux un bonbon à la menthe ? Du chewing-gum ? »

Elle a secoué la tête.

« Je crois qu'il reste quelques chips.

— Je ne veux pas de tes chips rances, Jake Simms. Je veux me coucher et mourir.

— Oh, je t'en prie, ne dis pas ça. Je fais de mon mieux. Tu veux que je te fasse un tour de prestidigitation ? Je suis prestidigitateur, m'a-t-il confié. Je suis sûr que tu ne le savais pas.

— Vous me l'avez déjà dit, je crois », ai-je remarqué en observant un convoi de gros hommes portant des fez.

« Je suis drôlement doué. Pas vrai, Mindy ? Dis-le lui. »

Mindy a marmonné quelque chose au volant.

« Qu'est-ce que tu as dit, Mindy ? Parle plus fort, je ne t'entends pas. »

Mindy a relevé le menton. « Il fait disparaître des choses, a-t-elle dit au pare-brise.

— C'est vrai, a renchéri Jake.

— Il fait disparaître des choses. Il efface des choses. Houdini est son héros.

— Je n'ai pas l'équipement nécessaire, pour l'instant, a dit Jake, mais tu n'as qu'à me dire quel est le tour de prestidigitation que ton cœur désire, Mindy, et je verrai ce que je peux faire. Je suis

176

sincère. Tu aimais beaucoup mes tours de prestidigitation, tu te souviens ? »

Elle n'a pas répondu. Il m'a regardée. Son visage était trempé de sueur, ses cheveux étaient collés. Il faisait une telle chaleur dans cette voiture.

« Elle aimait beaucoup mes tours de prestidigitation, m'a-t-il dit.

— Eh bien, je ne les aime plus du tout, a rétorqué Mindy.

— Je ne sais pas quelle mouche l'a piquée ! »

Les fez avaient enfin disparu. Un nouvel orchestre de collégiens a fait son apparition. Tout le monde applaudissait et faisait de grands signes. Mais il a dû y avoir un pépin quelconque en avant du défilé, car ils se sont tous arrêtés. Ils ont continué de jouer leur air jusqu'au bout, puis ils se sont tus et se sont tous mis à regarder quelque chose en avant. On pouvait voir battre leurs tempes. La chaîne d'argent qui reliait le musicien à son piccolo, m'a tout à coup donné l'image cocasse de l'accident qui avait dû se produire et qui les avait poussés à prendre ce genre de précaution. Je me suis mise à rire... Le bruit le plus fort de toute la rue. Les applaudissements avaient cessé. Une espèce de connivence régnait entre les musiciens et les spectateurs. Chacun faisait semblant de croire que l'autre n'était pas là. Jusqu'à ce que le défilé se remette en branle, ainsi que les applaudissements. Les spectateurs sont redevenus admiratifs. Comme sur commande. Les musiciens ont recommencé à avancer. Leurs jambes se dépliaient régulièrement, comme des paires de ciseaux. J'étais désolée de ne plus pouvoir les admirer.

« Je pense qu'un tambour est un bon instrument », a remarqué Jake en les regardant passer.

177

« Tu aimes ce qui fait du bruit, ce qui gâche tout le reste », a commenté Mindy.

Nous l'avons regardée.

« Oh, j'allais te faire le coup du portefeuille, a déclaré Jake.

— Non, merci.

— Maintenant, où est mon... merde, où est mon portefeuille ?

— Laisse tomber, a dit Mindy.

— Passe-moi ton portefeuille, Charlotte. »

Je l'ai sorti de mon sac et le lui ai tendu tout en regardant un groupe d'hommes, portant perruque blanche, qui faisaient semblant de signer un parchemin dont les coins étaient légèrement roussis. « Regarde bien, maintenant, a dit Jake à Mindy. Peut-être vas-tu finir par comprendre comment je m'y prends. J'ai ici un portefeuille vide, vu ? Tu vois, il n'y a pas de magie là-dedans, pas de poches, pas de compartiments secrets... » Je l'ai entendu fouiller mon portefeuille, en retourner toutes les poches en plastique. Puis il y a eu un brusque silence.

« Eh, s'est-il exclamé. Qu'est-ce que c'est que ça, Charlotte ? Charlotte, qu'est-ce que c'est que ça ? » J'ai tourné les yeux et j'ai regardé ce qu'il agitait entre ses doigts. « C'est un traveller, ai-je constaté.

— Un traveller ? Tu as vu, Mindy ? Regarde ! Un traveller de cent dollars ! Nous sommes riches ! Pourquoi ne m'as-tu rien dit ? Qu'est-ce que c'est que cette façon d'agir en douce ?

— Je ne sais pas, je n'y ai pas pensé.

— Tu n'y as pas pensé ? Tu as cent dollars sur toi et tu n'y *penses* pas ?

— Ça fait si longtemps que je les ai sur moi, voyez-vous. Je les trimballais pour une chose bien précise. Je ne pensais pas qu'on pourrait les utiliser pour autre chose.

— Peut-on savoir pour quelle chose bien précise ? m'a demandé Jake.

— Eh bien... pour voyager.

— Mais, Charlotte... nous voyageons.

— Ah bon ? »

12

J'ai essayé — du mieux que je pouvais — de dire
toute la vérité à Selinda, lorsqu'elle était petite. Je
lui ai dit, d'après ce que je savais moi-même, que
lorsque les gens mouraient, ils mouraient, un point
c'est tout. Mais un jour, à la sortie de l'église, elle
m'a demandé : « Comment ça se fait que toi et moi
on meurt, un point c'est tout, et que les autres vont
au paradis ?

— Voilà, tu y es, lui ai-je répondu. Tu peux
choisir. »

Selinda a choisi le paradis. Je ne lui en ai pas
voulu. Elle est allée assister à tous ces extras qui me
faisaient rester à la maison : prières, veillées, etc.
J'ai commencé à ressentir son absence. Elle avait
sept ans. Elle était une petite personne ayant sa vie
bien à elle. Elle avait toujours été très indépen-
dante, mais je pensais que sept ans était de toute
façon l'âge où les êtres humains prennent
conscience de leur pleine identité. Il me semblait
parfois que mes sept ans à moi me contemplaient
toujours à l'intérieur de ma coque adulte, faibles
mais tenaces. J'ai demandé à Selinda : « Tu n'ou-
blieras pas de me rendre visite de temps à autre ?

— J'habite ici, maman.

— Oh, j'avais oublié. »

Jusque-là, j'avais pensé que ce serait une erreur d'avoir un autre enfant (un paquet de plus à emporter quand je m'en irais). Mais j'ai changé d'avis. Et, Saul, bien sûr, en avait toujours voulu d'autres. Je me suis donc retrouvée enceinte en janvier 1969. Dès le mois de mars, je me suis mise à acheter des stocks de langes, de chemises de nuit en flanelle. Mais j'ai fait une fausse-couche au mois d'avril. Et le docteur nous a annoncé qu'il ne serait pas très sage de remettre ça.

Personne ne savait combien j'aimais déjà cet enfant-là. Pas même maman qui, après tout, n'avait jamais été consciemment enceinte. Elle s'affairait avec mes oreillers, semblait remplie d'espoir, intriguée. Miss Feather nous apportait des tas de potions et de sirops, comme si j'avais attrapé froid. Linus et Selinda avaient, semble-t-il, peur de moi. Du moins agissaient-ils comme si. Julian souffrait de l'un de ses écarts et avait perdu trois cents dollars aux courses, à Bowie. Et Saul restait à mon chevet. Il me tenait les mains, les aplatissait entre les siennes, sans me regarder. Il regardait fixement mes ongles qui avaient pris une teinte bleuâtre. Il n'a pas dit un mot pendant des heures. N'était-il pas censé le faire ? N'était-ce pas le rôle d'un prédicateur ?

« Je t'en prie, ne viens pas me dire que c'est la volonté de Dieu, lui ai-je lancé.

— Je ne comptais pas te dire ça.

— Oh. » J'étais déçue. « Parce qu'il n'en est rien, ai-je ajouté. C'est biologique.

— Très bien.

— C'est seulement un tour que m'a joué mon corps.

— Très bien. »

J'ai étudié son visage. J'ai vu qu'il avait deux rides

profondes de chaque côté de la bouche — si profondes d'ailleurs qu'elles devaient être là depuis longtemps. Il avait de moins en moins de cheveux au sommet du crâne. Il portait parfois des lunettes pour lire. Il avait trente-deux ans mais en paraissait quarante-cinq. Je ne savais pas pourquoi. Était-ce moi ? Je me suis mise à pleurer et j'ai dit : « Saul, crois-tu que mon corps l'ait fait exprès ?

— Je ne te comprends pas.

— Parce qu'un bébé m'aurait empêchée de partir.

— Partir ? a murmuré Saul.

— *Te* quitter.

— Non, bien sûr que non.

— Mais je n'arrête pas de penser, vois-tu... J'ai si peur que... parfois, il me semble que nous sommes tellement à bout l'un et l'autre. Nous sommes toujours en train de nous tirailler, de nous écorcher, de nous quereller... et parfois, quand nous sommes dans la camionnette, dans cette vieille guimbarde rouillée et grinçante, que maman prend les deux tiers de la banquette, que Selinda me fait mal et me gêne et que je râle pour quelque chose dont je me fiche éperdument, comme si je voulais voir jusqu'où je peux te pousser, toi qui en as assez et qui t'es complètement refermé... à ce moment-là, je me dis : " Nous ne sommes vraiment pas une famille heureuse. " Je ne sais pas pourquoi ça me surprend. Ça a l'air si naturel. C'est ma chance. Je n'ai pas de chance. J'ai vécu toute ma vie dans des familles qui n'étaient pas heureuses. Je ne me suis jamais attendue à trouver autre chose. »

Je me suis tue pour voir si Saul allait discuter, mais il n'a pas bronché. Il a continué de m'aplatir les mains. Il a gardé la tête baissée. J'étais déjà désolée d'avoir dit tout ça, mais c'était comme ça.

C'était ma vie : j'avais toujours envie de revenir en arrière, de tout recommencer. C'était sans espoir. J'ai poursuivi « J'ai peur que mon corps ne se soit dit : " Je ne veux pas que cette chose sorte. Je ne veux certainement pas un *bébé*. Un bébé l'empêcherait encore de partir pendant sept ans. Aussi, je dois... "

— Charlotte, tu ne me quitteras jamais !

— Écoute-moi une minute. J'ai ce traveller sur moi, ces chaussures de marche. Je...

— Mais tu m'aimes. Je sais que tu m'aimes. »

J'ai levé les yeux vers lui, vers ses grands yeux calmes et sa bouche, pareille à un trait de couteau. Pourquoi en parlait-il toujours ainsi ? Il avait fait la même chose au motel de *la Lune Bleue*. N'aurait-il pas dû plutôt me dire combien *il m*'aimait ?

Mais il m'a simplement dit : « Je suis sûr que tu as de l'affection pour moi, Charlotte. »

Autre chose : Pourquoi est-ce que ça marchait à chaque fois ?

J'étais debout depuis six semaines environ quand Saul est entré dans la cuisine, un matin vers midi, avec un bébé et un sac de couches en vinyl bleu dans les bras. Comme ça, brusquement. C'était un *gros* bébé, âgé de plusieurs mois. Une figure poupine, un gros garçon au regard excessivement grave. « Voilà », a dit Saul en me le tendant.

« Qu'est-ce que c'est que ça ? » lui ai-je demandé en ne prenant pas ce qu'il me tendait.

« Un bébé, bien sûr.

— Je n'ai pas le droit de porter des objets lourds », ai-je déclaré sans bouger pour autant. Saul a placé le bébé un peu plus haut sur son épaule. Il adorait les enfants, mais n'avait jamais su les tenir correctement. La robe de chambre du bébé était complètement remontée, jusqu'aux aisselles. Il oscillait maladroitement en faisant les gros yeux sous ses touffes de cheveux. On aurait dit un gros Napoléon blond. « Tu ne peux pas le prendre ? Il n'est pas *si* lourd que ça.

— Mais je... j'ai les mains froides.

— Tu ne sais pas, Charlotte ? Nous allons le garder pendant un bon bout de temps.

— Ah, Saul, crois-tu que je ne m'y attendais pas ? » Rien ne pouvait plus me surprendre. Dans cet état provisoire qu'était le mien, les événements passaient comme des algues, venaient se frotter contre mes joues avant de se retirer à nouveau. Je les voyais très bien de loin, aller et venir à la fois. « Merci pour l'attention, ai-je dit. Mais ça n'est pas possible. » J'ai fait le tour de la table tout en disposant sereinement les assiettes à soupe.

« Charlotte, il n'a pas de père. Sa mère est partie et l'a abandonné à la grand-mère. Et ce matin, nous avons retrouvé la grand-mère morte. J'ai pensé que tu voudrais bien de lui.

— Mais sa mère peut revenir d'un moment à l'autre et nous le reprendre. » Je me suis mise à plier les serviettes.

« Nous pouvons perdre n'importe qui n'importe quand. Nous pourrions perdre Selinda.

— Tu sais très bien ce que je veux dire. Il n'est pas à nous.

— Personne n'est à nous. »

J'ai plié la dernière serviette et je me suis réchauffé les mains pendant une minute, dans mon tablier. Je suis revenue vers Saul. J'étais presque réconfortée de savoir que je n'avais pas le choix. Tout avait été arrangé pour moi. Même le bébé semblait s'en rendre compte. Il se penchait comme s'il m'avait attendue depuis le début. Il savait qu'il allait tomber comme une pierre dans mes bras en attente.

Nous l'avons appelé Jiggs. Son vrai prénom faisait très Blanc misérable. J'ai essayé de ne plus jamais y penser. Jiggs convenait de toute façon beaucoup mieux à son aspect dodu, aux lunettes à fines montures qu'il serait obligé de porter très bientôt. Jiggs était un nom très commode. J'aurais tout aussi bien pu l'appeler Butch, Buster, Punkin ou Pee Wee. N'importe quoi pouvant me dire que je le rendrais facilement si sa mère venait le réclamer.

Nous l'installions sur une pile de bois chaque fois que je travaillais dans le studio. Linus lui construisait des châteaux de cartes ; Selinda lui dessinait des chevaux sur lesquels il pouvait méditer. Je lui parlais continuellement tout en changeant les projecteurs de place. « Il est à vous ? » demandait un client de temps à autre. Et je répondais : « Oh, non, ça, c'est Jiggs.

— Ah ! »

Et je prenais en photo son visage intrigué et poli.

Car je continuais à prendre des photos. Parce que les gens s'arrêtaient encore devant le studio. Et, seulement au jour le jour. Et j'avais perdu quelque part en chemin, la composition formelle de mon père. Avec les années, des éléments hétéroclites l'avaient remplacée : fleurs, épées, raquettes de ping-pong, tout le bric-à-brac d'Alberta. Les clients avaient une façon à eux de ramasser un de ces objets bizarres dès qu'ils entraient et de s'y attacher. Ils s'asseyaient en le tenant toujours à la main, l'air absent. Je ne m'en rendais pas compte les trois quarts du temps. Je n'étais pas un photographe bavard, du genre *personnel*. J'étais trop occupée à mesurer la lumière, à me débattre avec l'appareil qui était devenu plus capricieux que jamais. Ses soufflets étaient rapiécés. Son voile de mise au point était si râpé et poussiéreux que j'en attrapais des crises d'éternuement. Il m'arrivait souvent de prendre un cliché avant même d'avoir vu ce que je prenais. « Mais…, disais-je à Linus qu'est-ce qui m'a… »

Linus abandonnait le bébé et nous étudiions ensemble la photo : une collégienne drapée dans le châle orné de sequins et garni d'anneaux de rideaux d'Alberta, une gerbe de plumes de paon dans les bras, un beau sourire émerveillé et fier au bord des lèvres, comme si elle savait comment elle avait fait pour nous étonner.

A l'automne 1972, Alberta est morte. Nous avons reçu un télégramme de son beau-père. VOTRE MÈRE MORTE CRISE CARDIAQUE ENTERREMENT MERCREDI 10 H. Quand il a lu ça, Saul est devenu triste, mais n'a rien dit. Un peu plus tard, il a convoqué Linus et Julian dans le jardin d'hiver où ils ont tenu une réunion, portes fermées. J'ai traîné autour de la pièce en tripotant mes cheveux. Quand on en arrive aux problèmes importants, ai-je pensé, je ne fais même pas partie de cette famille. Je me disais que j'avais pénétré de force dans leur cercle, que j'avais trouvé un abri dans l'ombre d'Alberta, mais je m'apercevais que les Emory étaient plus fermés que jamais. Et Alberta était partie, morte. J'avais toujours secrètement souhaité son retour, je crois. Je voulais son approbation. Elle était tellement plus courageuse, plus libre, plus forte que moi. J'aurais aimé soumettre des milliers de choses à son jugement. Maintenant, il me semblait qu'elles n'avaient plus aucune importance et je pensais à toutes ces choses — les enfants y compris — avec un certain dégoût.

Je suis allée trouver ma mère qui tricotait devant la télévision. « Alberta est morte, lui ai-je annoncé.

— Oh, mon Dieu », a-t-elle répondu sans perdre une seule de ses mailles. Mais elle ne l'avait jamais beaucoup aimée, de toute façon. « Je crois que les hommes vont assister à l'enterrement », ai-je ajouté.

En fait, ils n'y ont pas assisté. Tel était le motif de leur conciliabule. Saul leur a annoncé qu'*il* n'irait pas. Il pensait qu'ils ne devraient pas y aller non plus, mais que c'était quand même à eux de prendre leur décision. Ils en ont longuement discuté, en soupesant le pour et le contre. Voilà où en étaient ses glorieux et cruels fils qui prenaient de l'âge, perdaient leurs cheveux, et semblaient troublés par des erreurs pathétiques et mineures. En son absence, leurs couleurs s'étaient estompées. Les gens ne sont, semble-t-il, qu'un reflet dans le regard des autres. En l'absence d'Alberta, sa maison s'était effritée, avait disparu. Ses effets avaient pris une odeur de moisi. (Elle m'avait dit un jour que les Emory se faisaient tous tuer par des chevaux. Telle était leur façon de mourir. Mais en son absence, je m'étais rendu compte qu'un seul d'entre eux était mort ainsi : un oncle éloigné. Les autres étaient morts dans leurs lits, de morts stupides qu'ils auraient évitées si Alberta était seulement restée dans les parages.)

Julian a dit qu'il n'assisterait pas non plus aux obsèques. Il ne restait que Linus, le seul qui aurait pu avoir envie d'y aller. Mais tout le monde savait très bien qu'il ne mettrait pas ses frères au défi. (Linus portait la barbe parce qu'il n'avait plus eu envie de se raser du jour où ses pattes s'étaient mises à pousser. Telle était la façon dont il renonçait à se battre.)

« Je vais rester à la maison et je dirai mentalement une prière pour elle, a-t-il confié à Saul.

— Comme tu voudras. »

C'est Linus, bien sûr, qui me l'a dit. Pas Saul. Linus était assis dans la cuisine et taillait un morceau de bois de la taille d'un timbre. Depuis quelques années, il s'était mis à fabriquer des meubles de poupée. Je ne sais pas pourquoi. Et il m'a dit tout à coup : « A mon avis ; il devrait lui pardonner.

— Quoi ?

— Saul devrait pardonner à sa mère.

— Oh, laisse-lui au moins ce *péché-là.*

— Dans le jardin d'hiver, Saul m'a dit : " Ce qui me fait rire, c'est que ce vieux fou lui a finalement survécu. " Il voulait parler de grand-père. Et puis il a vraiment éclaté de rire. Il a rejeté la tête en arrière et s'est mis à rire très fort. Qu'est-ce que tu penses de ça ?

— Rien. Je n'essaye même pas. Laisse-le tranquille. »

Linus a soufflé sur les copeaux, s'est essuyé le front d'une main brune et veinée et s'est tu. Il avait l'habitude que je *le* protège, pas Saul. Il ne savait pas combien de fois je m'étais posé la même question : « Que fais-tu de Saul ? »

Saul était devenu un homme en noir et blanc. En chaire, il arborait son costume noir et un large col blanc. Le reste du temps, un costume noir et une chemise blanche. Souvent, lorsque je faisais mes courses ou que je promenais les enfants, je le voyais passer à vive allure, vers quelque folle mission — plus grand que la vie, son manteau déboutonné flottant derrière lui, ses bas de pantalons virevoltants, sa cravate au vent, ses mèches de cheveux, négligées, répandues sur le col de son manteau. Il portait toujours une Bible et avait une expression sombre et intense, comme s'il fondait sur une proie. La plupart du temps, il ne nous voyait pas.

N'était-il qu'un prédicateur fanatique ne cherchant qu'à convertir le monde ?

Parfois, en plein milieu d'un sermon, il se mettait à bégayer, à bafouiller, se taisait et semblait tout à coup soupeser les mots qu'il venait de prononcer. Je me mettais alors à les soupeser moi-même et j'essayais de découvrir la vérité qui gisait en eux. Parfois, après avoir fustigé les mêmes démons, il s'interrompait au milieu d'une phrase, se courbait et s'en allait en oubliant de donner sa bénédiction. Ses ouailles, de plus en plus rares, s'agitaient, étonnées, sur leurs bancs et je m'asseyais à nouveau en serrant fermement mes gants. Devais-je lui courir après ? Devais-je le laisser faire ? J'imaginais quelque énorme structure souterraine en train de bouger et de se lézarder en lui. Je sentais mes jointures engourdies grincer toutes ensemble dès que je changeais de position. La nuit, je me réveillais souvent en sursaut et je posais mon visage sur sa poitrine velue et moite. Même les battements de son cœur semblaient étouffés et secrets. Je n'arrivais jamais à savoir à quoi il rêvait.

Un jour du printemps 1974, je m'affairais dans la cuisine et servais le petit déjeuner à un des hommes du banc des repentis — le Dr Sisk. J'essayais d'activer Jiggs parce qu'il était presque l'heure d'aller à l'école. Il était là, assis, ne portant qu'une chaussette et rien d'autre. Je me cognais au chien, ce terrible animal que Selinda avait ramené à la maison après un stage chez les girls-scouts. En d'autres termes, je n'étais pas dans l'un de mes moments les plus calmes. Il m'a donc fallu une minute pour voir dans l'encadrement de la porte ce que j'ai pris pour un Saul d'un autre âge. Celui que j'avais épousé, avec un visage plus calme, sans rides autour de la bouche, un peu plus de cheveux sur la tête, plus à l'aise, plus détendu et moins préoccupé. Il portait un vieux jean délavé et un sac venant d'un surplus de l'armée. Il m'a regardé avec une espèce d'amusement que Saul avait perdu depuis long-temps. Je n'étais pas, à vrai dire, très surprise. En fait, j'avais déjà trouvé une explication (simple déformation du temps, pas de quoi s'alarmer) quand il a pris la parole. « J'ai frappé mais per-sonne n'a répondu. »

Ça n'était pas du tout la voix de Saul et ne l'avait jamais été. Elle n'avait pas cet écho caractéristique, en arrière-plan. J'ai dit : « Amos !

— Comment ça va, Charlotte ? »

Il s'est redressé et s'est dirigé vers moi, main tendue. J'étais tellement habituée à voir passer des gens dans cette maison qu'il ne m'est même pas venu à l'esprit de lui demander ce qu'il faisait là — je l'attendais depuis des années, pour dire toute la vérité. Je me demandais ce qui l'empêchait de nous rejoindre. Mais Amos semblait penser qu'il devait me le dire : « Le collège de Clarion recherche un professeur de musique. J'ai pensé que je pouvais présenter ma candidature. J'aurais peut-être dû prévenir à l'avance, mais je n'aime pas beaucoup écrire. »

Il nous avait envoyé quinze lettres en tout et pour tout depuis notre mariage — si je compte une carte *Hallmark* à l'occasion de notre mariage et quatorze avis de changement d'adresse qu'on se procure gracieusement dans tous les bureaux de poste. Mais c'est la manière d'agir des Emory.

« Viens donc partager le petit déjeuner avec nous, lui ai-je dit. Je te présente Jiggs et le Dr Sisk. »

Jiggs s'est levé, avec son unique chaussette rayée, et lui a serré la main. C'était un enfant très digne — même nu. Il ressemblait à un charmant vieillard avec ses énormes lunettes. J'étais fière de le montrer. Amos l'a regardé d'un air intrigué et a dit : « Jiggs ? »

Puis le Dr Sisk s'est levé à son tour en bousculant la table. Il s'est penché au-dessus des œufs brouillés pour tendre une main ridée et pleine de taches. « Arthur Sisk. Du banc des repentis.

— Du banc des repentis », a dit Amos, encore plus intrigué.

« J'envisageais de me suicider. Le prêtre est venu et m'a offert une autre solution.

— Encore quelques œufs ? ai-je demandé au Dr Sisk.

— Non, merci, ma chérie. Plus tard, peut-être. » Il s'est à nouveau tourné vers Amos. « La vie me déprimait, me portait sur le système. D'un ennui ! Je suis médecin généraliste. Tous ces enfants avec leurs congestions des voies respiratoires supérieures, avec leurs Vicks Vaporub étalés sur leurs poitrines, et votre sthétoscope qui n'arrête pas de faire " Sppprrk " dès que vous le déplacez sur leurs corps. Déprimant ! J'ai pensé au suicide.

— Vraiment, a dit Amos.

— Le prêtre m'a convaincu de ne plus y penser. Il m'a recommandé de donner ma vie à Dieu, à la place. J'ai aimé la façon dont il m'en a parlé. Je veux dire, juste *donner* ma vie. C'est pas vrai, ma chérie ? m'a-t-il demandé.

— Oui, ai-je répondu, mais vous avez toujours vos impôts sur le revenu et vos renouvellements de patente.

— Pardon ?

— Vous avez toujours vos relevés bancaires, vos rendez-vous chez le dentiste, et vos fausses factures. Si c'était aussi facile que ça, vous ne croyez pas que j'aurais moi aussi donné *ma* vie à Dieu, depuis longtemps ? »

Le Dr Sisk s'est assis et a entrepris de se curer le nez.

« Prends des œufs, ai-je dit à Amos.

— Quoi ? Oh, non. Vraiment. Merci, mais je...

— Saul est allé faire une visite à l'hôpital. Il ne sera pas de retour avant longtemps.

— Eh bien... c'est marrant tout de même. Je croyais que vous aviez une fille », a dit Amos en saisissant une de ses mèches. « Vous ne m'aviez pas envoyé un faire-part de naissance ? Une fille pré-nommée Catherine.

— Oh, oui. Ça doit être Selinda. Elle est déjà partie à l'école.

— Selinda ?

— Ça, c'est Jiggs.

— Je vois. Jiggs », a dit Amos. Il a délaissé ses cheveux tout en continuant de paraître troublé.

Puis Jiggs a ressenti le besoin de se lever à nouveau, en jetant de petits éclairs blancs avec ses lunettes couvertes de marques de doigts. « Jiggs, s'il te plaît, ai-je dit, tu dois être prêt dans un quart d'heure. Veux-tu encore un peu de café, Amos ?

— Non, merci. Je me suis arrêté à Holgate, pour le petit déjeuner.

— Viens t'asseoir dans le living. » Je l'ai précédé dans le couloir et j'ai défait mon tablier tout en marchant. « J'espère que le désordre ne te fait pas peur. Il est encore un petit peu tôt. »

Il y *avait* effectivement du désordre, mais rien qui allait disparaître au cours de la journée. Certains invités peuvent vous faire prendre conscience de ces choses-là. Je ne m'étais jamais rendu compte, par exemple, du nombre de meubles de poupée que Linus avait fabriqués, pendant toutes ces dernières années. Les gens n'arrêtaient pas de lui proposer des sommes folles pour les lui acheter, mais il refusait de vendre quoi que ce soit. Tout était pour moi, affirmait-il. A présent, sur chaque table, se trouvaient d'autres tables de six centimètres de hauteur. Il y avait aussi des bureaux, des commodes, des vaisseliers, des divans recouverts de velours et même des chaises de salle à manger, en tapisserie au petit point. Et chaque petite surface avait ses propres accessoires : lampes dont les abat-jour étaient faits avec des bouchons de tube de pâte dentifrice, livres faits avec des morceaux de reliures de magazines, perles de bois contenant de minuscules fleurs blanches. Des chambres complètes étaient rangées sous le bureau et le piano. Je pouvais lire l'effarement dans le regard d'Amos. « C'est à Linus, ai-je dit. C'est lui qui les fabrique.

— *Ah,* bon ? » Amos s'est allongé sur le divan, en abandonnant ses mocassins sur le tapis. « Comment va Linus, ces derniers temps ?

— Bien.

194

— Il n'a plus ses... ses ennuis ?

— Oh, non. Il semble très équilibré. En ce moment, il est à la laverie avec maman.

— Et Julian ? Il est dans les parages ?

— Il est déjà au magasin.

— Quel magasin ?

— Le magasin de radio.

— Celui de *papa* ?

— Mais où étais-tu ? Saul ne t'a pas tenu au courant ?

— Il m'envoie chaque Noël cette carte de l'église et me dit de ne pas perdre de vue le sens de la vérité.

— Oh, je vois. Eh bien, Julian travaille donc au magasin de radio. Il s'agit de télévision surtout, mais nous l'*appelons* toujours le magasin de radio. Il se débrouille très bien. Je crois vraiment que ses écarts vont se faire de plus en plus rares.

— C'est vrai ? » Il tapotait son sac militaire du bout des doigts.

« On va bientôt pouvoir lui faire confiance pour ce qui est de l'argent. En attendant, les clients qui viennent au magasin règlent Miss Feather.

— Miss... ?

— Et toi ? Tu crois que tu vas obtenir ce poste ?

— Oh, sûr. Le principal m'a écrit pour me dire que le poste était à moi, si je le voulais. Et je crois que je le veux. Vraiment. Je suis trop longtemps resté au même endroit. Il est temps que je change. Et je venais justement de rompre avec cette fille. Je me sentais prêt à... Quoique je ne sois pas très sûr de supporter Clarion. J'aurais aimé que ce poste me soit offert ailleurs.

— Rien de mal à Clarion », ai-je déclaré, indignée. (Je ne sais pas pourquoi.)

« Non, bien sûr. C'est bien. Ça n'est pas ce que je voulais dire. »

Il a planté ses pouces dans sa ceinture, a renversé la tête sur le canapé, mettant ainsi un terme à la conversation. Je me suis souvenue qu'Amos était celui des quatre fils Emory qui faisait des fugues. Peut-être continuait-il d'en faire. Les faiblesses se regroupaient sur une seule personne de la famille. Elles pouvaient être maîtrisées, mais non détruites. Elles se déplaçaient simplement et se transféraient sur quelqu'un d'autre. Sur Julian. Julian collectionnait les faiblesses comme d'autres collectionnent les timbres ou les pièces de monnaie. Le problème que Saul avait connu avec les filles était devenu celui de Julian, tout comme l'était devenu le caractère dépressif de Linus. Nous aimions tous beaucoup Julian. Pas étonnant. Nous avions un faible pour ses yeux fatigués et brumeux, pour ses airs épuisés. Et s'il prenait l'habitude d'Amos — celle de faire des fugues — nous risquions d'avoir des problèmes. J'ai demandé à Amos : « Tu continues de faire des fugues ? »

Il a semblé pris de court. « Quoi ? Euh... non. Pour l'amour du ciel, pourquoi me poses-tu une question pareille ? Bien sûr que non !

— Où est-ce donc passé ?

— Quoi ? »

Mais avant d'avoir pu m'expliquer, Saul est entré et s'est automatiquement courbé en franchissant le seuil. Il s'est arrêté. « Amos ! » s'est-il exclamé.

Amos s'est levé en disant : « Hello, Saul !

— Nous t'attendions depuis longtemps », a déclaré Saul en posant une main sur son épaule. Je souriais tout en les regardant, mais je me demandais pourquoi Amos avait l'air tellement jeune, alors qu'il était l'aîné des frères Emory ?

196

Ils étaient maintenant au complet. Tous les quatre réunis sous le même toit. Le travail d'Amos n'a pas débuté avant l'automne. En attendant, il a prêté main-forte au magasin de radio. Il nous a également accordé notre vieux piano sur lequel il faisait des gammes, tous les jours. Je n'ai jamais cessé d'être étonnée par Amos, musicien. Il avait à peine suivi ses classes. Il était tombé sur la musique comme un canard tombe finalement sur l'eau ; il avait fait joyeusement son bonhomme de chemin au conservatoire Peabody. Amos Emory ! Assis, courbé devant le piano aux dents jaunes, il jouait Chopin, en faisant attention où il mettait les pieds parmi tous ces meubles de poupée, coudes près du corps comme s'il avait peur d'abîmer les touches de ses grosses mains carrées. Une touffe de cheveux bruns tombait sur son front. « C'est le plus mauvais piano que j'aie rencontré de ma vie », me confiait-il tout en continuant de jouer ses petites notes décolorées et vieillottes.

Malheureusement, je n'aime pas le piano. Quelque chose m'a toujours profondément agacée dans cet instrument. Mais maman adorait l'écouter : elle nous racontait qu'elle avait été très musicienne étant jeune fille. Et Selinda s'arrêtait souvent sur le pas de la porte pour l'écouter. Elle avait treize ans cet été-là et était, tout à coup, devenue très belle. Ses cheveux étaient extrêmement blonds. L'effet du soleil. Elle avait les sourcils brûlés, minces comme du fil, et des taches de rousseur poussiéreuses. Derrière elle, on dénichait invariablement Jiggs qui arrivait de Dieu sait où, dès qu'il entendait de la musique. Il prenait des leçons avec Amos et jouait pendant des heures ce qu'il avait appris. Il tapotait sur les touches, tout en respirant par la bouche — embrumant ainsi les verres de ses lunettes. Chaque fois que je traversais le living, je souriais à la vue de sa nuque couverte de doux duvet et je refaisais le même souhait démoniaque : Que sa mère tombe raide morte, quelque part. C'est tout ce que je souhaite.

Au dîner, je pouvais contempler la rangée des fils Emory (en sautant le Dr Sisk qui était fourré partout et tout le temps) et voir quatre variations sur un même thème — toutes ces grosses têtes, sobres. Saul en noir, Julian en col roulé voyant, Linus couleur muraille et Amos en hardes de coton, pareil à un auto-stoppeur peu exigeant et décontracté. Il était bonne pâte et avait un heureux caractère. Pourquoi donc me portait-il ainsi sur les nerfs ?

Il n'arrêtait pas de me poser des questions. Qu'est-ce que je pensais de la *Holy Basis* ? Pourquoi avions-nous tant de meubles ? Comment pouvais-je supporter que tant d'étrangers aillent et viennent dans ma maison ?

« Quels étrangers ?

— Oh, Miss Feather, le Dr Sisk.

— Miss Feather est arrivée en même temps que Selinda. Ça fait un bon bout de temps de ça. Je ne la considère pas vraiment comme une étrangère.

— Et qu'est-ce qui pousse Saul à avoir la tête qu'il a ?

— Je ne sais pas de quoi tu parles.

— Il est devenu si... si ombrageux. Il a un regard traqué. Est-ce que tout va bien ?

— Bien sûr que tout va bien. Ne sois pas stupide. »

Il a examiné le plafond pendant un moment. « Ça ne doit pas être facile d'être femme de pasteur.

— Pourquoi dis-tu ça ?

— Parce que de le voir si... eh bien, si dévot, si pieux. »

Je l'ai dévisagé.

« Pour lui aussi, d'ailleurs, a-t-il poursuivi. Ça ne doit pas être facile d'être marié avec toi. Selinda dit que tu n'es pas croyante. Ça ne lui fait pas peur ?

— Lui faire peur ? Ça le met en colère.

— Ça lui fait peur, bien sûr, cette manière que tu as de vivre auprès de lui, sans la foi, avec toute ta disponibilité, ton... *indifférence*. Et puis tu es celle qui prépare la soupe. Il ne fait que ramener les pêcheurs à la maison pour la manger. Ça n'est pas ça ? Il doit constamment se battre avec toutes les pensées que tu lui fourres dans la tête.

— Non ! Je ne touche et n'ai *jamais* touché à son esprit ! Je m'en suis toujours tenue volontairement éloignée.

— Il se bat quand même », a dit Amos en grimaçant. « Son démon personnel. » Puis il est devenu grave. « Je ne comprends pas les gens mariés.

— Ça se voit », lui ai-je répondu sèchement.

« Comment font-ils pour vivre ensemble ? Quoique ce soit tout à fait admirable, bien sûr. »

Il voulait dire que c'était peut-être admirable mais qu'*il* n'en éprouvait aucune admiration. Je ne l'admirais pas non plus. Je détestais sa façon négligée d'aller et venir dans la pièce en examinant différents meubles, pas plus gros que des boîtes d'allumettes. Confrontée au mépris d'Amos, j'ai subi un changement subtil. Je suis devenue loyale, entêtée. J'ai oublié les plans que j'avais dressés pour mon voyage. Je me suis dit que c'était inutile.

Peu importe où je pourrais aller, Saul continuerait de hanter éternellement les allées de mon esprit, en faisant claquer sa Bible sur sa cuisse. « Tu ne sais rien de rien à tout ça », lui ai-je lancé méchamment. Mais Amos m'a simplement répondu : « Non, je ne sais rien. C'est peut-être vrai. » Et il est passé sans difficultés à autre chose. « A qui est ce chien ?

— A Selinda.

— *Drôle* d'animal. »

C'est vrai qu'Ernest ne valait pas grand-chose. C'était un bâtard, une énorme bête noire, légèrement grisonnante, aux longs poils emmêlés, à la gueule broussailleuse, semblable à une tête de loup. Quand Ernest remuait la queue, tout ce qui se trouvait près de lui tombait et se cassait. Une forme de surdité le poussait à entendre son nom constamment. Que j'appelle Amos ou Linus, c'est Ernest qui arrivait toujours, pantelant, pour m'asphyxier de son haleine nauséabonde. Il fonçait sur les objets et rayait les planchers avec ses griffes. Il était également trop attaché à ma personne. Dès que je le laissais seul, il perdait tout contrôle sur sa vessie. Oh, je l'admets. Il était loin d'être parfait.

Je ne voyais toujours pas en quoi ça regardait Amos. « Dis-moi, lui ai-je demandé. Existe-t-il une seule chose dans cette maison que tu approuves ? Devons-nous tout foutre en l'air et tout reprendre à zéro ? »

Amos a levé une main, a battu en retraite en grommelant : « Très bien, très bien. Ne le prends pas mal. » Il avait ce sourire d'auto-stoppeur, timide et charmant. Il baissait la tête et me regardait par-dessous ses sourcils broussailleux. Je me sentais immédiatement désolée pour lui. Il était tout nouveau, ici. C'est tout. Il avait quitté la maison bien avant ses frères, avait été beaucoup plus loin, avait beaucoup plus oublié. Oublié que, dans chaque famille, il existe des choses qu'on rapetisse ou qu'on étire pour se mettre au diapason. Pourquoi, par exemple, Linus arrivait-il à se souvenir de sa vie de bébé (du sein d'Alberta pareil à une bouchée en seersucker froissé, affirmait-il)? Mais Amos ne pouvait pas supporter les souvenirs et il m'en a fait part immédiatement. Il n'avait pas aimé son enfance me disait-il. Leur mère avait été dure, violente, bruyante. Elle avait toujours voulu régner sur leurs vies, s'immiscer dans leurs cerveaux, réclamant un torrent continuel d'admiration et de gaieté. Ses fils avaient tressailli chaque fois qu'elle était entrée brusquement dans leurs chambres. Elle leur avait fait respirer son haleine chaude, leur avait lancé son rire sec et ricaneur au visage. Elle exigeait des soirées! De la danse! Mettons un peu de vie là-dedans! Si on lui donnait moins que ce qu'elle désirait, disait-il (et elle recevait toujours moins. Elle était insatiable), elle se détournait, moqueuse et méprisante. Elle avait une langue pointue comme un couteau. Les couleurs vives et criardes de ses vêtements, de sa peau et même de ses cheveux faisaient mal aux yeux de ses enfants. Ils l'avaient haïe. Ils avaient souhaité sa mort.

Alberta?

« Pourquoi es-tu surprise? m'a demandé Amos. Avons-nous l'air de quatre hommes normaux et heureux? Ça ne t'a jamais frappée? Les trois autres semblent incapables de quitter Clarion. Et je ne vaux pas mieux. Je sautille comme quelque chose dans une poêle. Je me taille la plupart du temps avant que l'année scolaire soit terminée et je pars avec n'importe qui. Trois d'entre nous ne se sont jamais mariés. Le quatrième a choisi quelqu'un de sûr, quelqu'un qui ne cherchera pas à violer les portes de son intimité. »

Je l'ai dévisagé.

« Ça n'est pas vrai ? a-t-il poursuivi. Tu ne sais même pas à quoi il pense ! Tu ne le lui as jamais demandé. Si tu l'avais seulement fait, rien de tout ça ne t'étonnerait. Saul déteste Alberta, plus qu'aucun de nous.

— Mais... non, c'est seulement à cause de... »
Je ne voulais pas le dire.

« A cause de grand-père ? a demandé Amos. Regarde les choses en face : un seul événement ne provoque pas ce genre d'effet. Il a fallu des années et des années à Saul pour devenir aussi amer. Il l'a quittée en lambeaux. Nous tous, d'ailleurs. Ils restent tous les trois à Clarion et tournent autour de sa tombe, picorent ses ossements en essayant d'y voir clair, de comprendre. Pas moi. J'ai renoncé. Je ne me souviens pas. J'ai oublié. »

Et, en fait, il me souriait avec les yeux clairs et vides d'un homme sans passé. Je pouvais dire avec certitude qu'il avait tout oublié. Il avait tordu chaque morceau de ce passé, avait embrouillé tous les faits, sans espoir. Ça ne servait à rien de le pousser à tout retrouver.

Je l'ai emmené avec nous à l'église. Il s'est assis à côté de moi, vêtu d'un costume d'emprunt, nettoyé, tiré à quatre épingles et calme. Mais, même là, il semblait toujours poser ses questions. Au moment où Saul a annoncé le texte Matthieu XII, 30... Celui qui n'est pas avec moi est contre moi, Amos a changé ses jambes de position comme s'il allait se pencher en avant, tendre la main et crier : « Objection ! », mais il n'en a rien fait, bien sûr. C'était mon imagination. Il est resté aussi tranquillement

202

assis que les autres, doigts croisés. Je ne sais pas comment il s'arrangeait pour m'ennuyer à ce point.

Cette nuit-là, j'ai rêvé que nous nous étions trouvés, Saul et moi, une chambre couleur vert d'eau — semblable à un aquarium. Nous faisions l'amour sous des lumières scintillantes et, pour une fois, personne ne venait frapper à notre porte. Personne ne venait nous dire d'une petite voix triste : « Je suis seul. » Pas un seul membre de l'Église ne nous téléphonait pour nous annoncer une mort, une maladie. Saul me regardait d'une façon étrange, directe et inhabituelle, comme s'il avait dressé mentalement quelque plan à mon intention. J'ai décidé que cette chambre neuve était une idée merveilleuse. Et puis Linus s'est étiré tout contre moi et a couvert mon corps de doux baisers barbus. Et Julian est arrivé à son tour, dans ses vêtements de joueur qu'il a lentement enlevés — un à un — en me souriant pendant tout ce temps. J'étais environnée, entourée d'amour, protégée de toutes parts.

Le seul Emory absent était Amos. Et c'est de lui qu'ils me protégaient tous.

13

L'écriteau indiquait : Motel Manoir Perth. 8
dollars la nuit. Antiquités. Trésors de
grenier. Notaire. Dalmatiens pure race. Nous
nous sommes arrêtés sur le trottoir pour le lire. Il
me semblait que le crépuscule était tombé plus vite
que d'habitude. Nous avions été pris par surprise,
comme si un étranger, venu par derrière, nous avait
plaqué ses mains sur les yeux. Mais cet écriteau
était composé de lettres blanches mobiles, comme
on en voit dans les cafétérias où le menu change
souvent et nous pouvions facilement le déchiffrer.
Derrière lui, se dressait un petit bâtiment ordinaire
et banal — une véranda essentiellement. Le mot
Bureau s'étalait sur l'un des piliers. Un peu plus
loin, une rangée de maisonnettes aussi grandes que
des cages à poules, de la même couleur délavée
qu'un signe tracé à la craie puis effacé.

« Il faut tout d'abord vérifier que la mère d'Oliver n'est pas dans les parages, s'est exclamé Jake.

— Pourquoi ça ? a demandé Mindy.

— La mère d'Oliver ne pense pas grand bien de
moi.

— Alors pourquoi vient-on ici, Jake ?

— Parce que je mise tous mes espoirs sur Oliver. »

Mes chaussures craquaient sur le trottoir. Les sandales de Mindy également. Jake nous a lancé un regard désespéré et nous a fait signe de nous arrêter. Il a fait le reste du chemin tout seul. Nous sommes restées où nous étions, bizarrement tranquilles dans le crépuscule qui tombait. Mindy ressemblait à un ballon sans poids, étincelant. J'étais soit fatiguée soit affamée, mais j'étais trop engourdie pour le savoir moi-même. J'avais atteint ce stade où plus rien ne semble réel. La main pâle de Mindy, plaquée contre ses reins qui la faisaient souffrir, aurait pu être la mienne. J'ai retenu ma respiration en regardant Jake gravir les marches du perron et aller jeter un coup d'œil à travers la porte grillagée.

« Il va se faire prendre », a déclaré Mindy, tout fort.

Jake a tendu un bras en arrière — dans sa direction — et lui a intimé l'ordre de se taire.

« Parfois il ne fait que *tenter* le diable. Il cherche à se faire prendre. Regardez. »

Mais non, il est revenu vers nous en secouant la tête, ultra agile sur ses talons après être resté si longtemps tranquille. « C'est Mrs Jamison, j'en suis presque sûr, nous a-t-il annoncé. Une pomme de terre sur deux cure-dents, debout au comptoir. Elle espère que quelqu'un va se montrer.

— Peut-être ne saura-t-elle même pas qui tu es, a dit Mindy.

— Tu rigoles ? Elle prie tous les soirs pour que je dégringole par une fenêtre. Nous allons nous asseoir un moment. »

Il parlait d'un banc situé à l'autre bout du jardin et qui faisait face à la rue. Nous sommes allés nous y asseoir. Mindy entre nous deux. C'était l'une de ces soirées chaudes et fraîches qui vous font sentir que quelque chose va se produire. Nous étions assis comme des spectateurs dans une salle de cinéma, mais nous n'avions pour tout spectacle qu'un magasin de confection pour hommes, délabré, de l'autre côté de la rue, et quelques voitures qui passaient. De temps à autre, Jake allait traîner devant la porte du bureau — étroit rectangle lumineux.

« Et si elle compte passer la soirée derrière son comptoir ? a demandé Mindy.

— Nous irons nous installer ailleurs et nous reviendrons demain. Retiens-nous une chambre avec le traveller de Charlotte.

— Oh, Jake, je suis épuisée. On ne peut pas entrer et payer en nous fichant de ce qu'elle peut te dire ?

— Je n'affronterai pas cette femme pour un empire. J'ai peur d'elle. »

Je me suis dit que c'était marrant. J'ai éclaté de rire mais me suis arrêtée en voyant l'œil noir de Jake. « Pourquoi ne lui enfoncez-vous pas votre revolver dans les côtes ? » ai-je demandé.

Oh, j'étais bien plus fatiguée que je ne le pensais. Jake a tendu la tête. Mindy a dit : « Revolver ?

— Cette femme est folle », a-t-il dit. Son bras était étendu sur le dossier du banc. Il s'est mis à tapoter l'épaule de Mindy comme quelqu'un qui veut calmer un chat.

« Le fait est que la mère d'Oliver m'a toujours détesté, a-t-il poursuivi. Je crois qu'elle m'associe mentalement à des choses auxquelles je n'ai jamais pris part. Les malheurs d'Oliver. Ça n'est pas moi qui ai mis ces bombes dans les boîtes aux lettres. Je ne le connaissais même pas à l'époque. Je ne l'ai rencontré qu'au centre d'éducation surveillée. Mais

207

essaye seulement d'aller lui expliquer, à *elle*. Dès qu'elle me voit, elle pense " catastrophe ".

— Elle n'est pas la seule », a commenté Mindy. Leurs voix avaient pris cette résonance claire, anonyme, caractéristique du crépuscule. Ils auraient tout aussi bien pu être des campeurs qui se racontent des histoires de fantômes, des promeneurs qui parlent sous une fenêtre ou des parents qu'on entend discuter à l'autre bout d'une pelouse.

« Quand nous avons quitté le centre d'éducation surveillée, a continué Jake, je passais le voir de temps à autre. Il n'habitait pas très loin. Il vivait avec sa mère. Elle s'occupait d'immobilier. Je le trouvais chez lui, occupé à lire. Il ne faisait que ça. Nous nous baladions tous les deux, nous allions manger un hamburger, tu sais ce que c'est. Je me payais vraiment du bon temps avec cet Oliver. Seulement, quand sa mère n'était pas là. Elle avait une voix si sèche, si dure. Elle ne souriait jamais sauf quand elle disait quelque chose de vache, du genre : " Déjà de retour, Jack ? " Elle m'appelait toujours Jack ce qui n'est absolument pas mon nom. Ça m'agaçait. " C'est drôle, disait-elle, je croyais vous avoir déjà vu hier. Je me suis trompée, sans doute. " Avec ce petite sourire au bord des lèvres. Je n'aime pas qu'une femme fasse ça.

— C'est ce que faisait *ma* mère avec toi, a dit Mindy. Tu as ce don-là, je crois. » Elle s'est tournée vers moi. « Ma mère était d'une grossièreté avec lui ! Maintenant, elle fait semblant de croire qu'il est mort et ne mentionne jamais son nom. Dans mes lettres, je lui demandais si elle l'avait vu. Elle me répondait qu'il était tombé tant de centimètres de pluie sur la région. Il aurait pu être raide mort qu'*elle* ne m'en aurait rien dit. Pour elle, il est déjà mort.

— Voilà, ça explique tout, a dit Jake.

— Ça explique quoi ?

— Bref, a dit Jake, vous pouvez vous moquer de moi et des ennuis que me faisait Mrs Jamison, mais c'était comme ça. Je dis bien : c'était comme ça. A cette époque-là, tu vois, ma propre mère était plutôt déçue par son fils, elle aussi. Mais elle n'était pas aussi méchante. Elle réagissait faiblement et préférait baisser les yeux sur ses travaux de couture. Vous savez bien comment elles font ? Je suis allé chez Oliver pour m'éloigner d'elle, mais je suis tombé sur la mère d'Oliver. On dirait que j'ai été considéré toute ma vie comme un bon à rien. Je n'arrive pas à changer l'image que les gens se font de moi. »

J'ai soupiré brusquement. Mindy a croisé les chevilles et sa robe a frémi.

« Puis, je me suis enfui, a poursuivi Jake. J'ai entendu parler de ce type qui vous paye pour convoyer une voiture jusqu'en Californie. Je voulais simplement foutre le camp. Je suis donc parti sans dire au revoir. Je n'ai pas gardé le secret volontairement, mais ma mère se trouvait chez une amie quand j'ai reçu le message. J'ai alors pensé : Il faut que je me *libère !* Il faut que je m'en aille. Je ne peux plus rester ici ! Ils m'ont arrêté seulement en Californie pour conduite de véhicule volé. Je n'ai pas été condamné. Rien. Mais les choses se sont un petit peu compliquées à cause d'ennuis antérieurs et les mois sont passés avant que je regagne la maison. Et Oliver était parti pour la Floride. J'ai demandé aux voisins. " Oh, il est parti avec sa mère, il y a quelques mois et s'est installé à Perth en Floride où il y a moins de crime, paraît-il, où les gens sont plus fréquentables et où le soleil brille si régulièrement qu'on vous distribue le journal gratuitement, les

209

jours où il pleut. " Et comme preuve, j'ai reçu ce Noël-là et tous les Noëls suivants une carte de O. J. Une carte typique de la Floride : un père Noël qui fait du surf ou des anges qui ramassent des pamplemousses. " Joyeux Noël, Jake. J'espère que tu vas bien. " Et je faisais des efforts pour répondre car je dois vous avouer que je n'aime pas beaucoup écrire. Je lui racontais tout ce que je faisais et je passais pas mal de temps à lui répondre. Mais il ne m'envoyait que ces éternelles cartes de vœux. Seulement des cartes de vœux. J'avais vraiment l'impression qu'il était en prison, tu sais. Juste cette carte, une fois l'an ; censurée. Peut-être. J'aurais été surpris si elle ne vérifiait pas mes lettres pour voir s'il n'y avait pas de limes ou de lames de rasoir dedans. Je m'en veux vraiment. Je n'aurais jamais dû l'abandonner comme ça avec sa mère Pourquoi ne suis-je pas passé chez lui, avant de mettre les voiles ? Pourquoi ne lui ai-je pas demandé de partir avec moi ? Mais je voulais continuer à vivre, tu vois. Je ne pensais qu'à une chose : foutre le camp. »

Nous avons regardé les voitures passer, incolores dans le crépuscule, bondées de visages fatigués, hâves, en route vers le sud.

« Le problème, a poursuivi Jake, c'est que lorsque les gens pensent du mal de toi, tu ressens le besoin irrésistible de t'en sortir, de partir. Tu te dis : si j'arrivais seulement à me retrouver. Si j'arrivais quand même à refaire ma vie.

— C'est vrai, ai-je renchéri.

— Chaque fois que je vois quelqu'un courir, je crois vraiment qu'il essaye d'échapper à son moi fautif. Ou à l'*idée* que se font les autres de son moi fautif. Mais je ne sais pas. Je ne sais pas. »

Puis il s'est levé, a fait quelques pas sur l'herbe et s'est dirigé vers la porte du bureau.

« Elle est partie, a-t-il annoncé.

— Qui est là, maintenant ? a demandé Mindy.

— Personne, semble-t-il. »

Il est resté là, dans l'expectative, dos tourné ; Mindy a arrangé sa robe. « Vous remarquez qu'il n'a même pas *parlé* du dîner, m'a-t-elle confié. Étourdi ? Et moi qui ai un taux de sucre trop bas.

— Attention ! Quelqu'un arrive, a dit Jake. On peut toujours aller lui parler. En avant, mesdames. »

Nous nous sommes levées et nous l'avons suivi. Nous avons gravi les marches, nous sommes passées sous la véranda qui grinçait. Sous la lueur orange de la lumière. Certainement installée contre les insectes, mais ça n'empêchait pas une horde de papillons bruns de voleter autour de mes cheveux.

Il ne faisait pas encore tout à fait sombre, mais nous avons quand même cligné des yeux en franchissant le seuil. Des lueurs jaunes éclairaient la pièce et mettaient en évidence le linoléum abîmé. Derrière un comptoir encombré de cendriers, de magazines, de brochures touristiques, un homme couleur de sable, aux cheveux blonds, tamponnait des enveloppes. Il n'a pas levé les yeux quand nous sommes entrés. Il a gardé la tête baissée : sa main osseuse s'agitait régulièrement entre les enveloppes et le tampon, comme s'il trouvait un réel plaisir dans ce travail rythmé. « Je suis à vous dans une minute. » C'est tout ce qu'il a dit, d'une voix profonde et fêlée qui paraissait plus jeune que lui.

« Euh... Je cherche Oliver Jamison, a dit Jake. Vous le connaissez ? »

L'homme s'est arrêté et a relevé la tête. Ses yeux n'étaient pas tant bleus que transparents. Mais ils se sont assombris au moment où je l'ai observé. « Eh, Jake, s'est-il exclamé.

— Hein ?

— Tu ne me reconnais pas ?

— Oliver ? »

Ils ne semblaient pas très heureux de se revoir, ni l'un ni l'autre. Jake avait une expression incertaine, ahurie. Oliver semblait inquiet. Il a simplement dit : « Tu ne devrais pas être ici, Jake.

— Pourquoi ?

— Tu ne sais pas que les flics te recherchent ? »

Mindy a plaqué une main devant sa bouche. Une voix de femme s'est écriée, de l'intérieur de la maison : « Qui est-ce, Ollie ?

— Personne, maman. »

Il a posé son timbre en caoutchouc et a fait le tour du comptoir. « Allons dehors », nous a-t-il dit. Tout près de lui, j'ai pu voir les lignes blanches qui rompaient l'harmonie de son bronzage. J'ai humé l'odeur propre de sa chemise écossaise. C'était un de ces hommes tranquilles, au doux visage, un de ces hommes qui ne semblaient jamais affolés. Il ressemblait à quelqu'un que j'aurais pu connaître. Peut-être était-ce l'endroit où nous nous trouvions — vraisemblablement une maison en dépit du comptoir. Un tricot bleu layette était abandonné sur un fauteuil. Je me suis tout à coup sentie désorientée. J'ai titubé derrière lui, poussée par Jake. Nous sommes sortis. Au pied des marches d'abord, puis loin dans le jardin pour être dissimulés par le crépuscule. Nous nous sommes arrêtés. Mindy a touché du doigt l'avant-bras d'Oliver. « Pourquoi les flics sont-ils à sa recherche ? lui a-t-elle demandé. A cause de moi ? Mais il n'a rien fait de mal.

— C'est vrai ? » a dit Oliver en se tournant vers Jake. « Ils sont venus hier. Ils avaient trouvé mon nom dans ton carnet. C'était la seule adresse qu'il y avait dedans avec celle du marchand de vin, m'ont-ils dit. Ils m'ont donc cherché. Ils se demandaient si je ne t'avais pas vu. J'ai dit non. Et maman a dit la même chose que moi, bien sûr. Et Claire ne savait pas de quoi ils parlaient.

— Qui est Claire ? a demandé Jake.

— C'est ma femme.

— Ta femme ?

— Ils m'ont dit que tu avais sorti ce... mais tu n'as pas fait ça, n'est-ce pas ?

— Je ne sais pas. Peut-être », a dit Jake. Il a fourré ses mains dans ses poches et a jeté un coup d'œil de l'autre côté de la rue.

« Mais... je veux dire que ça ne me paraît pas logique. Quelque chose a-t-il mal tourné ? Qu'est-ce qui t'a poussé à braquer cette banque paumée pour une somme aussi ridicule ? Et un otage, par-dessus le marché ! Prendre un... Et maintenant à qui ai-je affaire ? Qui est l'otage ? Qui ne l'est pas ? »

Mindy s'est écriée : « Un otage ? »

Oliver m'a regardée droit dans les yeux. « Bon Dieu, Jake ! » s'est-il exclamé.

J'ai senti que je rentrais sous terre.

« Mais Oliver, laisse-moi seulement t'expliquer. Je n'avais rien prévu de tout ça, tu sais. On dirait que les événements m'ont échappé. Je suis victime de mon impulsion, pas vrai ? Écoute-moi, tu es mon dernier espoir, ma dernière chance. Oliver ? O. J. ? Tu ne peux pas nous donner une chambre pour la nuit ? Juste une nuit. Assieds-toi près de moi. Essaye de m'aider à trouver une solution, Oliver. Je ne peux plus y voir clair, tout seul. Tout est si confus.

— Je suis désolé, Jake. J'aimerais pouvoir t'aider. Mais maman appellerait la police. Tu sais très bien qu'elle le ferait. Ça n'est pas de sa faute. Elle est vieille. Elle a peur et elle ne s'est pas encore remise de cette histoire de boîte aux lettres. Et Claire, en plus, a une grossesse difficile. Je ne veux pas que quelque chose vienne la contrarier. Tu comprends ma situation ?

— Ouais. Bien sûr. Compris.

— Jake, tu aurais peut-être intérêt à aller te constituer prisonnier. »

Nous étions très calmes. Une voix de femme a franchi l'espace nous séparant de la maison. « Ollie ? »

Jake a dit : « Ta mère t'appelle.

— Penses-y, Jake.

— Pourquoi tu ne t'en *vas* pas ? Ta mère va sortir dans deux minutes. Pars ! Va-t'en ! Pourquoi tu ne pars pas ? Va t'occuper de ta petite vie !

— Jake, j'ai vingt-six ans, maintenant. »

Mais il n'a pas reçu de réponse. Il a attendu un moment, a regardé Jake d'une façon que je n'ai pas pu discerner dans le noir. Puis il a ajouté : « Eh bien, adieu, je pense. » Et il s'est éloigné. Une minute plus tard, j'ai entendu la porte grillagée se refermer — bruit d'une nuit d'été, qui a retenti et longtemps persisté. Nous étions tous les trois dans le jardin, les mains vides. Nous avons continué de regarder le rectangle lumineux de la porte, même s'il n'y avait plus personne, là-bas.

Et puis Mindy a dit : « Je n'y comprends rien du tout à ton histoire.

— Tais-toi. Laisse-moi réfléchir », a grondé Jake.

Il n'arrêtait pas de se frotter le front. Il avait un profil dur et proéminent, pareil à quelque chose hâtivement découpé dans un morceau de papier

214

kraft. Mindy s'est avancée pour le regarder. « Je t'en supplie, Jake. Explique-moi ce qui se passe ?

— *Tais-toi,* Mindy !

— J'ai le droit de savoir.

— Allez, en voiture. » C'est tout ce qu'il a dit.

Il s'est éloigné en direction de la rue. Je suis restée où j'étais. Sans rien dire, il a rebroussé chemin, m'a saisi le bras et m'a tirée en avant. Mindy suivait. Elle n'arrêtait pas de dire : « Jake ? Jake ? »

La voiture était stationnée sous un lampadaire. J'avais l'habitude de la regarder en plein soleil, en clignant des yeux. A présent, je voyais ce qui m'avait jusque-là échappé : nous l'avions très abîmée au cours de notre voyage. L'arrière était embouti ; l'un des feux de position était cassé ; le pare-chocs avant n'existait plus et il y avait de larges éraflures sur le côté. Jake a ouvert la portière à l'obscurité caverneuse, à la forte odeur de chat, au désordre (sachets de bonbons et paquets de chips). Une boîte de Pepsi est tombée sur la chaussée et a roulé sur quelques mètres. J'ai libéré mon bras et j'ai reculé. « Monte ! » m'a-t-il ordonné.

J'ai secoué la tête.

« Je t'en prie, Charlotte, monte.

— Non.

— Écoute-moi. Il y a des gens qui arrivent. Ne m'oblige pas à devenir méchant. Tu veux compliquer les choses, maintenant que je suis déprimé ? Monte. Sois naturelle.

— Imbécile ! Comment veux-tu qu'elle soit naturelle quand elle est... comment ça s'appelle déjà ?... Ah oui, un otage », a déclaré Mindy.

En fait, j'ai été tout à fait naturelle. Je me suis glissée dans la voiture et j'ai gagné ma place familière. J'ai croisé les mains sur mon sac. Jake s'est installé près de moi. Mindy est entrée la dernière et a calé confortablement son estomac derrière le volant. Elle a refermé la portière. Voilà, nous étions tous dans cette voiture. Je ne m'étais jamais sentie aussi à l'étroit, aussi misérable.

« Maintenant, laissez-moi réfléchir, a dit Jake.

— Dis-toi que je peux être arrêtée pour complicité et aide à malfaiteur, a gémi Mindy.

— Tu veux me laisser réfléchir ?

— Dis-toi aussi que je peux mettre mon bébé au monde, en prison. Et tout ça, pour quelque chose dont je ne suis même pas au courant !

— Oh, Mindy, merde ! N'importe qui aurait déjà *deviné*. Pourquoi crois-tu que j'ai mis des chaînes aux portières ?

— Pour une course, bien sûr. Pour une course de cascadeurs. Tu en mets souvent quand tu participes à une course.

— Ça ne ressemble pas à une course, à ce que je sache ! » Il a tourné la clef de contact d'un coup de pouce. « Allez, mets-la en marche, s'il te plaît.

— Où allons-nous ?

— Dans un endroit où l'on peut encaisser le chèque de Charlotte. Dans une banque, ouverte le vendredi soir.

— Mais...

— Tu veux de ma compagnie ou tu n'en veux pas ? »

Mindy a fait démarrer la voiture. Nous nous sommes faufilés dans la circulation. Tout le monde conduisait avec la même régularité, la même lassitude. On avait l'impression de se joindre à une rivière, un courant.

« J'aimerais bien manger un morceau, s'est exclamé Mindy.

— On y pensera après. » Avachi sur son siège,

Jake regardait les écriteaux défiler, d'un air indifférent.

« Tu imagines ça, m'a-t-il confié. Un type comme Oliver qui était si calme, qui n'arrêtait pas de lire au centre d'éducation surveillée, qui *lisait* comme si rien ne le dérangeait jamais. Tu imagines Oliver, marié, casé — bientôt père de famille ! Si vieux que je ne le reconnaissais même pas. Mais il *m'a* reconnu, lui ! Tu ne *me* trouves pas changé ?

— Je l'aimais bien, ai-je dit.

— Toi ? s'est exclamé Jake. Ce pauvre mec !

— Il n'était pas si moche que ça, je ne trouve pas.

— Tu dis ça parce que tu te crois obligée, c'est tout. » Jake s'est tourné vers Mindy. « Charlotte qui est ici, est mariée elle aussi, tu sais ça ?

— Oui, je sais.

— Avec un pasteur. »

Mindy a ralenti à l'appel d'un stop.

« Ça n'est pas vrai ? » m'a demandé Jake.

J'ai acquiescé. Je regardais une enseigne au néon. Un verre de martini qui n'arrêtait pas de se vider et de se remplir.

« Elle aide son mari à l'école du dimanche. Elle enseigne aux jeunes le *Jésus m'aime* et leur donne des conseils pour ne pas succomber à la tentation.

— Ça n'est pas vrai, ai-je protesté.

— Elle et son mari, ils ne se disputent jamais. Ils portent seulement leurs problèmes devant notre Seigneur, en prières.

— Ne soyez pas ridicule. Nous nous disputons tout le temps.

— Vraiment ?

— Bien sûr.

— A quel sujet ?

— Ça ne vous regarde pas. »

C'était stupide. Je commençais à pleurer. J'avais les larmes aux yeux. Sans raison aucune. Mais je n'ai pas laissé Jake les voir. J'ai continué de regarder par la fenêtre. Les larmes me mettent en colère. Aussi, je me suis mise à parler plus fort que d'habitude. « Nous n'avons pas les mêmes opinions, ai-je dit. Il cherche la faute partout. Il dit que je suis... le moindre prétexte lui est bon pour me faire des reproches. Un matin, par exemple, il est parti à son Institut théologique et je lui ai dit : " Ne prends pas de boutons de culotte pour la quête ! " Je voulais seulement dire quelque chose. Rien de spécial. Mais il ne l'a jamais oublié. Quinze ans de ça ! Il imagine des tas de sous-entendus auxquels je n'ai jamais pensé. Cet été, il a assisté à cette rencontre annuelle pour le réveil de la Foi. Ils dressent une tente sur le terrain de cerfs-volants. Mais Saul est rentré, calme et ombrageux, en disant qu'il n'y avait pris aucun plaisir et qu'il n'avait, en fait, pas pu la supporter. Il avait continuellement entendu mes commentaires. A chaque mot que prononçait le pasteur ! Et je n'étais même pas là. Je n'oserais jamais faire ça, de toute façon. J'essaye vraiment d'éviter... mais Saul a dit : " J'ai entendu ta voix. Ta petite voix claire. Pas une seule bribe de ce sermon ne m'est parvenue. Comment vais-je pouvoir faire face à ça ? " Il me tient responsable de tout ce qui est mal. Il voit le démon, en moi. Je lui ai dit : " Regarde, je n'ai pas besoin d'appartenir à la *Holy Basis* pour être une femme bonne. Je fais de mon mieux. Est-ce de ma faute si je ne suis pas croyante ? " Je ne l'ai jamais été. Du moins je ne le suis plus depuis l'âge de sept ans — à une époque où l'on me donnait ce livre : *La Bible racontée aux enfants.* Je n'aimais pas ce Dieu jaloux qui n'arrêtait pas de lancer des imprécations, ces personnes qui devaient sacrifier leurs enfants, et tous ces gens qui avaient constamment tort. Non, je n'aimais pas ça. Ça n'est pas que je ne *crois* pas. Parfois, oui. Parfois, non. Ça dépend du moment où l'on me pose la question. Je n'approuve pas. Là est le problème. Je préfère ne pas être associée à tout ça. C'est contre mes principes. " J'essaye de vivre sans, lui ai-je dit, et c'est bien plus difficile d'être bon quand on y parvient sans l'aide de la religion. Donne-moi au moins un A pour les efforts que je fournis. "

— Comment se fait-il alors qu'il ait dit tout ça à la télé ? » a demandé Jake.

J'ai eu du mal à interrompre le cours de mes pensées. « Quoi ?

— Il a dit que tu étais une femme foncièrement bonne.

— Oh... il a dit ça ? Vraiment ? Je ne sais pas. Il voulait peut-être dire que j'aurais été incapable de faire un casse dans une banque.

— Alors pourquoi ne l'a-t-il pas *dit* ? a demandé Jake. Tu es une femme foncièrement bonne. Ce sont les mots qu'il a employés. »

Je l'ai regardé.

« Peut-être voit-il les choses différemment maintenant que tu es partie, a commenté Jake. Peut-être — et ça me paraît plus vraisemblable — ne l'as-tu jamais compris ? Je veux dire qu'il croit peut-être que tu es vraiment bonne et s'inquiète de ce que ça veut dire de *son* point de vue à lui. Tu n'as jamais pensé à ça ?

— Non.

— Ah, les femmes, a conclu Jake, elles n'arri-

219

vent jamais à comprendre les choses les plus simples. »

Nous avons roulé en silence, le long d'une avenue de lumières, aussi troubles et scintillantes qu'une rivière de diamants.

14

Un matin de l'automne 1974, alors que je préparais du coco pour Jiggs tout en rêvassant devant l'évier de la cuisine, maman m'a dit : « Charlotte, je ne me sens pas très bien. » Je lui ai répondu : « Ah bon ? » J'ai tendu la main pour attraper une cuiller et j'ai ajouté : « Qu'est-ce que tu as dit, maman ?

— Je ne me sens pas très bien, Charlotte.

— C'est la grippe ?

— Je crois que c'est plus grave que ça.

— Je vois », ai-je dit en mélangeant le coco et en regardant les bulles tourner en rond à la surface du liquide. Puis j'ai déclaré : « Eh bien, le... oui, le docteur. Nous allons nous rendre chez le docteur.

— J'ai peur d'aller chez le docteur, Charlotte. »

J'ai posé la cuiller en continuant d'observer les bulles qui patinaient, de plus en plus lentement. Puis j'ai jeté machinalement un coup d'œil sur ma mère, assise sur sa chaise de jardin. Elle se tenait l'estomac à deux mains. C'était vrai. Elle ne semblait pas du tout dans son assiette. Son visage s'était allongé, ses yeux s'étaient rapprochés l'un de l'autre. Je n'aimais pas non plus la position de ses épaules. « Maman ?

— Ça ne va pas, Charlotte. »

Julian nous a emmenées en voiture chez le docteur. A l'heure du dîner, maman était à l'hôpital. A huit heures le lendemain matin, elle avait été opérée. J'ai attendu les nouvelles sur un divan recouvert de plastique qui me collait aux mollets. Quand le Dr Porter et le chirurgien se sont avancés vers moi, je me suis levée d'un bond en faisant comme un bruit de gifle. Le chirurgien est arrivé le premier et a montré un intérêt soudain pour une nature morte accrochée derrière moi. « Nous n'avons pu la refermer », m'a-t-il dit en regardant par-dessus son épaule. Je n'ai pas aimé son choix de mots. J'ai gardé le silence avec opiniâtreté et j'ai serré ma pochette.

« On ne pouvait rien faire d'autre, a ajouté le Dr Porter. Je suis désolé, Charlotte.

— C'est très bien.

— C'est le can..., a dit le chirurgien.

— Ah, *oui* ? Très bien. Merci beaucoup.

— Vous pourrez aller la voir dans un moment, a dit le Dr Porter. Vous vous sentez bien ?

— Saul me rejoint.

— Eh bien, je prendrai de vos nouvelles. »

Je me suis à nouveau affalée sur le divan et je les ai regardés s'éloigner. Je me suis dit que marcher avec des semelles aussi épaisses me donnerait la sensation d'avancer péniblement dans un bac de sable. Puis je me suis aperçue que Saul arrivait à grandes enjambées, à l'autre bout du couloir. Visage lointain et lumineux. Il m'a dépassée, s'est arrêté, a porté la main à son front et a rebroussé chemin.

« C'est quoi le can ? lui ai-je demandé.

— Le cancer », m'a-t-il répondu en s'asseyant.

« Oh, je vois. Bien sûr. »

Il a ouvert sa Bible à la page où se trouvait la marque. Au bout d'un moment, il s'est arrêté de lire et a levé les yeux sur moi. Nous nous sommes regardés d'un air vide, comme deux personnes penchées aux fenêtres de deux trains différents.

Au retour de l'hôpital, la chambre de ma mère est devenue le centre de la maison. Maman était trop malade pour se lever et elle détestait rester seule. Dans cette chambre, immense et obscure, avec ses tentures de soie moisies et son mobilier aux pieds cambrés, Jiggs apprenait son alphabet par cœur, Miss Feather faisait ses comptes, Linus fabriquait des ressorts miniatures qu'il suspendait aux branches de ses bonsaï. Et ma mère était assise, calée contre une montagne d'oreillers. Rester allongée l'incommodait. Elle dormait même assise, ou plutôt passait la nuit assise, calée contre ses oreillers. Je ne sais pas quand elle dormait. Quelle que soit l'heure à laquelle je venais lui rendre visite, je la trouvais tout simplement assise. Les lumières de la Texaco illuminaient ses yeux caverneux. Ses os, dissimulés pendant ces cinquante dernières années, commençaient à faire leur apparition sur son visage.

« Quand pourrai-je me lever ?

— Bientôt, bientôt », lui répondions-nous.

Nous étions tous lâches, mais Saul disait que nous devions la protéger aussi longtemps que possible. Nous avons eu quelques discussions et accrochages à ce sujet (cette agonie faisait apparaître nos divergences). Et puis un jour, elle m'a demandé : « S'il te plaît, Charlotte, quand vais-je aller mieux ? »

C'était un dimanche, un clair et blanc dimanche

de décembre. Saul n'était pas là. Mon seul témoin était Amos qui agrafait des partitions, dans le fauteuil. J'ai pris ma respiration profondément et je lui ai répondu : « Maman, je pense que tu n'iras plus jamais mieux. »

Ma mère a perdu tout intérêt à la conversation et a détourné les yeux. Elle s'est mise à arranger les plis froissés de sa couverture. « J'espère que tu n'oublies pas de vaporiser mes fougères de temps à autre, a-t-elle ajouté.

— Non, maman.

— J'ai rêvé que les bouts étaient en train de jaunir.

— Non.

— Le Dr Porter est quelqu'un de très bien, mais j'ai tout de suite détesté ce chirurgien. Dr... Lewis ? Loomis ? J'ai tout de suite su qu'il ne valait pas grand-chose. Il arrivait toujours en avance pour se placer du bon côté, faisait des plaisanteries, gardait les mains fourrées dans ses poches... et complotait tout le temps pour trafiquer dans mes entrailles. Je crois que nous devrions le poursuivre en justice, Charlotte.

— Nous ne pouvons pas faire ça, maman.

— Nous le pouvons très certainement. Je veux voir mon avocat.

— Tu n'en as pas.

— Ah, dans ce cas, alors... »

Elle s'est un petit peu avachie. Je pensais que la conversation l'avait fatiguée. Je me suis levée et j'ai dit : « Pourquoi n'essayes-tu pas de dormir un peu, maintenant ? Je vais préparer le dîner. Amos reste là au cas où tu aurais besoin de quelque chose.

— J'ai besoin de connaître le nom de mon problème », a-t-elle dit.

Je n'ai pas compris tout de suite. Son problème ?

Comment pouvais-je le savoir ? J'essayais toujours de trouver le nom du *mien*. Mais elle a ajouté, à ce moment-là : « Le nom de ma maladie, Charlotte.

— Oh ! C'est le cancer, maman. »

Elle a croisé les mains sur sa couverture, est devenue très calme. J'ai pris conscience d'Amos, de sa présence. Il avait posé ses partitions sur ses genoux et me dévisageait. Ses mocassins éculés gisaient, béants, sous le fauteuil. J'ai remarqué qu'il avait un trou à sa chaussette. Il faudrait que je m'en occupe. Chaque pensée semblait me venir très clairement. « Ne porte plus ces chaussettes tant que je ne les aurai pas raccommodées », lui ai-je lancé. Et je suis sortie de la chambre.

Puis il y a eu une période où maman n'a pas éprouvé le besoin de me voir. Elle me répondait à peine quand je lui adressais la parole, renvoyait les autres de sa chambre parce qu'ils faisaient trop de bruit et qu'ils salissaient le plancher avec leurs enveloppes déchirées et leurs épluchures de mandarines. Elle ne désirait que la présence de Saul. Elle voulait qu'il lui lise des passages de la vieille Bible familiale : les Psaumes. Elle n'aimait plus le reste de la Bible — tous ces gens qui entreprennent des activités définies ou qui voyagent vers des villes précises. Saul lisait jusqu'à ce que sa voix défaille, et redescendait, pâle et épuisé. « J'ai fait ce que je pouvais », disait-il. On aurait pu croire que c'était *sa* mère. Il avait d'abord eu Alberta. Maintenant, il avait maman. Moi, j'étais là sans personne.

« Que pouvais-je faire de plus ? ajoutait-il.

— Si tu ne le sais pas toi-même, qui peut te le dire ? »

La chambre de maman était au-dessus de nos têtes, telle un grand dirigeable gris. Elle occupait nos esprits. Son absence emplissait la maison.

J'ai pris l'habitude de garder le studio ouvert, la nuit. Vous auriez été surpris par le nombre de gens qui, passant devant le studio éclairé, avaient envie de se faire prendre en photo, à dix ou onze heures du soir. Ils s'arrêtaient devant la baie vitrée — adolescents solitaires, insomniaques, ménagères sortant leur bouteille de lait, pour le lendemain. Ils regardaient tous mes photos. Tous les portraits de ces gens entourés par le bric-à-brac d'Alberta et assombris par la lumière diffuse qui filtrait du vieil appareil fatigué de mon père. Puis ils entraient et me demandaient : « C'est vous qui avez fait ces portraits ?

— Qui d'autre ?

— Vous voulez dire que je peux, moi aussi, avoir le mien ?

— Bien sûr. »

Pendant que j'installais les plaques, ils erraient dans le studio et ramassaient qui une cape d'hermine, qui un éventail ou un tricorne galonné d'or, etc.

J'ai photographié certaines personnes plusieurs fois, semaine après semaine. Chaque fois qu'elles étaient déprimées, semble-t-il. Il y avait un garçon, Bando, de la station Texaco. Il venait le premier de chaque mois, dès qu'il avait touché sa paye. Il avait le genre voyou, mais avec cette lumière diffuse sur ses pommettes et l'épée de grand-père en faux cuivre contre la hanche, il prenait sur ces photos une allure distinguée, princière, qui me surprenait

226

chaque fois. *Lui* n'était pas du tout surpris. Il étudiait ses clichés avec un sourire de reconnaissance, comme s'il avait toujours su qu'il pouvait avoir cette allure-là. Il les achetait tous et s'en allait en sifflotant.

Notre besoin de sommeil avait changé. Nos fenêtres restaient souvent allumées jusqu'au petit jour. On aurait pu croire que toute la maisonnée s'était mise à avoir peur du lit. Julian, notre seul papillon de nuit, pouvait être dehors avec une fille, mais les autres trouvaient toujours une raison pour rester dans le living, à lire, à coudre, à jouer du piano. Linus sculptait des montants de lits avec des morceaux de bois miniatures. Parfois, même les enfants se levaient et inventaient des messages urgents, maintenant qu'ils avaient toute mon attention. Selinda avait oublié de me dire qu'elle avait besoin d'un ensemble. Jiggs devait absolument me demander : « Vite, maman. Qu'est-ce que ça fait mer trois plus mer trois ?

— Est-ce si important ?

— Allez, maman. Mer trois plus mer trois, ça fait quoi ?

— Mer six.

— Il n'y a pas de quoi.

— Ha, ha, ha !

— Tu as compris ?

— J'ai compris, j'ai compris », lui disais-je en déposant un baiser sur l'aile de son nez.

Au premier étage, ma mère était toujours assise, calée contre ses oreillers, comme une reine. Elle écoutait son lecteur particulier lui lire les Psaumes.

Puis elle l'a banni, lui aussi. Elle l'a insulté un soir, à l'heure du dîner. Nous avons ainsi tout entendu. Une minute plus tard, Saul est descendu de sa démarche lourde et syncopée. Il s'est effondré sur sa chaise. « Elle *te* réclame, Charlotte.

— Que s'est-il passé ?

— Elle dit qu'elle est fatiguée.

— Fatiguée de quoi ?

— Fatiguée. Tout simplement fatiguée. Je ne sais pas. Passe-moi les biscuits, Amos. »

Je suis montée. Maman était assise contre ses oreillers, la bouche fermée comme un enfant offensé. « Maman ?

— Brosse-moi les cheveux, veux-tu. »

J'ai pris sa brosse sur la commode.

« Ces Psaumes... tu n'en croirais pas tes oreilles, a-t-elle dit. Une fois tout va bien, puis tout va mal, et tout va bien à nouveau.

— On va te trouver autre chose.

— Je veux que Selinda ait mon collier en écailles de tortue, a-t-elle poursuivi. Il va bien avec la couleur de ses yeux. Je vais mourir.

— Très bien », ai-je répondu.

Nous avons accueilli 1975 comme un ennemi. Aucun d'entre nous n'avait beaucoup d'espoir en lui. Saul a perdu plusieurs de ses ouailles les plus âgées à cause de la grippe et il a dû s'absenter plus que jamais. Les enfants grandissaient sans moi. Je passais le plus clair de mon temps à m'occuper de maman. Elle n'était bien dans aucune position. Rien qu'elle ne puisse manger sans problèmes. Elle développait des envies monstrueuses pour des produits hors de saison ou trop chers. Au moment où j'arrivais à me les procurer, elle avait perdu l'appétit et tournait son visage, face au mur. « Emporte ça ! Emporte ça ! Ne m'embête pas avec ça ! » Ses

228

pilules ne semblaient plus avoir d'effet et il fallait lui faire des piqûres. Le Dr Sisk s'en occupait. Puis maman s'est mise à éprouver une inquiétude bizarre et détaillée. « J'entends du bruit dans la cuisine, Charlotte. Je suis sûre que c'est un cambrioleur. Il est en train de manger les restes de poulet que tu avais promis de mettre de côté pour moi. » Ou « Pourquoi le Dr Sisk n'est-il pas encore venu ? Va voir dans sa chambre, s'il te plaît. Il s'est peut-être suicidé. Il s'est pendu à une poutre du grenier avec cette chaîne d'or qui est dans le coffret en cèdre.

— Maman, je te jure que tout va bien », étais-je obligée de lui dire.

« Ça t'est facile de décréter des *choses pareilles.* »

Je me suis tout à coup aperçue que si j'étais restée la vieille fille rébarbative que j'avais commencé par être, cette mort aurait signifié l'ouverture de mon piège, ma libération. Mais elle aurait été de toute façon inutile. J'aurais eu toute une maison remplie de chats, sans aucun doute. Je n'aurais pas pu supporter l'idée de les abandonner. Les journaux se seraient entassés jusqu'au plafond et j'aurais eu des matelas cousus d'or.

« Tu attends que je meure pour que l'un des miséreux de Saul prenne ma chambre. C'est ça ?, disait ma mère.

— Tais-toi, maman. Mange ta soupe. »

Puis elle m'a demandé de faire le tri dans les tiroirs de sa commode. « Il y a peut-être des choses que je voudrais brûler. » J'ai sorti les tiroirs un à un et les ai vidés sur son lit : bas à élastiques, fanés, sachets de citronnelle, recettes découpées dans des magazines et filets à cheveux qui collaient à ses doigts. Elle a fouillé ce désordre. « Non, non, remporte tout ça. » Que cherchait-elle ? Des lettres d'amour ? Des journaux intimes ?

Elle a tâté le fond du plus petit tiroir et en a exhumé quelque chose de brun qu'elle a regardé fixement pendant un moment. Et elle s'est écriée : « Voilà. Brûle ça !

— Qu'est-ce que c'est ?

— Brûle ça. S'il n'y a pas de feu, fais-en !

— Très bien. » J'ai pris l'objet — une espèce de photo dans une chemise cartonnée — et je l'ai posé près de moi. « Tu veux que je t'apporte le dernier tiroir ?

— *Vas-y*, Charlotte ! Va brûler ça ! »

Quand elle était en colère, son visage se rapetissait comme s'il était retenu en son centre par un élastique. Elle sentait finalement son âge : soixante-quatorze ans, évidée, creusée comme un oreiller avachi. Elle a levé un index tremblant et exsangue : « *Vite !* » Sa voix s'est cassée.

Je suis sortie. Mais une fois hors de sa chambre, j'ai regardé ce qu'elle m'avait donné. Imprimé sur la chemise « Hammond Frères, Photographes expérimentés » — certainement pas de Clarion. La chemise était bon marché, découpée à la hâte. Les coins ne coïncidaient pas tout à fait avec le cliché.

A l'intérieur, une photo de la fille de ma mère.

Comment l'ai-je su immédiatement ? Je n'en sais rien. Quelque chose dans les yeux, peut-être — clairs, de forme triangulaire, en attente. Ou dans les fossettes, ou dans le sourire radieux et immense. Elle n'avait certainement pas plus de dix ans quand la photo avait été prise — peut-être moins. C'était un flou artistique sur papier inhabituellement mince : un visage seulement, avec un jabot à hauteur de cou et un bout de ruban qui maintenait en arrière des cheveux pâles, mal soignés.

Quand ma mère l'avait-elle retrouvée ? Pourquoi n'en avait-elle rien dit ?

J'ai emporté la photo dans ma chambre. J'ai fermé ma porte et me suis assise pour l'étudier. Ce qu'il y avait de drôle, c'est que je me sentais vaguement liée à cette petite fille. Je la connaissais presque. Nous aurions pu être amies. Mais, d'après ses cheveux mal soignés et son jabot outrancier, je devinais qu'elle venait d'une classe sociale pauvre. Travailleurs saisonniers peut-être ou locataires d'une caravane. Pas de doute, elle avait grandi sur des roues. Elle n'avait pas connu d'entraves, avait vécu instable, nomade sur ces roues. Elle avait quitté la région depuis longtemps. Ça aurait dû être ma vie. C'*était* ma vie et elle la vivait pendant que je vivais la sienne, que j'étais mariée à son mari, que je m'occupais de ses enfants et que je me coltinais sa mère.

J'ai glissé la photo dans ma poche (je n'ai jamais envisagé la possibilité de la détruire). A partir de ce moment-là, je l'ai glissée dans chacune de mes poches et j'ai dormi avec. Je la mettais tous les soirs sous mon oreiller. Je l'avais constamment avec moi. Souvent, quand je traversais la maison avec le bassin ou l'alcool à friction, je rêvais à son monde joyeux et insouciant. Je me disais que nous nous rencontrerions un jour, que nous échangerions nos histoires, que nous nous raconterions nos vies respectives.

Ma mère a commencé à perdre le fil de ses idées. Je crois qu'*elle s'autorisait* à le perdre, comme on se met en vacances. N'en aurait-on pas fait autant, à sa place ? Quand elle y était obligée, elle pouvait être aussi lucide qu'avant. Mais en sa présence, la plupart des gens se taisaient, les enfants devenaient muets. Même Saul se trouvait des raisons pour quitter la chambre. C'était seulement maman et moi. Comme au bon vieux temps. Maman restait assise et hochait la tête, face au mur. Je cousais des emblèmes sur l'uniforme de girl-scout de Selinda. De petits points verts qui me permettaient de raccommoder les souvenirs brumeux et épars de ma mère. Je pensais à toutes les tâches ménagères qui m'attendaient : couture, cuisine, histoires à lire, températures à prendre, gâteaux d'anniversaire à préparer, rendez-vous chez le dentiste et chez le pédiatre, nécessaires à l'éducation d'un enfant. Toutes ces choses auxquelles ma mère avait fait front, malgré son âge certain, malgré le handicap de son hypertension et de ses jambes variqueuses. Si maladroite et si consciente que le plus petit voyage (l'achat d'une nouvelle paire de chaussures) la rendait malade, des jours à l'avance. Je n'avais jamais remarqué tout ça, avant. On aurait dit que la photo de l'autre fille m'avait, d'une certaine façon, libérée, m'avait permis de prendre du recul, une distance raisonnable, et finalement de me faire une idée réelle et sans contraintes de ma mère.

« Il n'avait jamais embrassé une fille de sa vie, a-t-elle dit. J'ai été la première à l'embrasser. Il était si soulagé.

— C'est vrai, maman ?

— Tu dois penser que nous avons commis des tas d'erreurs avec toi.

— Oh, non.

— Nous ne t'avons pas donné une enfance très heureuse.

— Ça ne veut rien dire, maman. J'ai eu une enfance heureuse. »

En fait, j'avais peut-être été heureuse. Qui sait ?

« Et son haleine sentait le chewing-gum aux

fruits. J'ai toujours pensé que ce parfum aux fruits était tout à fait ignoble.

— Moi aussi.

— Mon frère ne vient plus me voir très souvent.

— Il est mort, maman. Tu ne t'en souviens pas ?

— Je m'en souviens. bien sûr. Pour qui me prends-tu ?

— Tante Aster t'a quand même envoyé une carte. »

Elle s'est penchée comme pour rejeter quelque ennui.

« Si tu veux, je vais te la lire. »

Elle m'a répondu : « Pendant combien de temps encore vais-je devoir me soumettre à toutes ces choses physiques ? Quand vais-je être débarrassée de ce corps ?

— Je ne sais pas, maman.

— Apporte-moi mes cigarettes, veux-tu ? »

(Elle ne fumait pas.)

J'ai rangé mes travaux de couture et me suis glissée sans bruit hors de la pièce. Parfois, je sortais parce que j'en ressentais le besoin impérieux. J'ai descendu rapidement les escaliers en gardant l'esprit vide et froid. Mais dans le living, j'ai trouvé des magazines froissés, des chaussures abandonnées, les chaises de poupées de Linus, répandues sur le sol, et Amos, vautré sur le canapé, un journal à la main. Je me suis arrêtée et j'ai pressé une main contre mon front. Amos a levé les yeux. « Veux-tu que j'aille passer quelques instants auprès d'elle ?

— Non, tout va bien.

— Tu n'es pas fatiguée ?

— Non. »

Il m'a étudiée. « Je ne te connaissais pas vraiment, tu sais », a-t-il fini par dire.

J'ai eu le sentiment qu'il ne me connaissait toujours pas.

Car j'étais engourdie. J'observais ma vie aussi calmement qu'une femme de glace. Mais Amos croyait que j'étais forte et courageuse. Il me l'a dit. Un millier de fois — en jetant un coup d'œil dans la chambre obscure de maman, en m'apportant mon café, en prenant le relais pour que j'aille me détendre dans un monde qui, de manière surprenante, vivait en plein été. Amos s'arrêtait et me disait : « Je ne sais pas comment tu t'arranges pour faire face à tout ça.

— Il n'y a pas à faire face.

— Avant, je me disais seulement que tu étais belle.

— Que j'étais quoi ?

— Je ne te comprends pas. Maintenant, je m'aperçois qu'ils se disputent tous tes morceaux. Et cependant tu restes intacte. Ils s'agrippent à tes jupes et n'arrivent pas à ralentir ton allure. Et tu es celle qui lui a dit la vérité. Je t'ai entendue. Tu as dit le mot à haute voix. Cancer. Tu vogues à travers cette maison comme une lune. Tu es assez forte pour eux tous. »

J'aurais dû discuter (j'aurais dû éclater de rire). Mais j'ai seulement dit : « Non... » et je me suis arrêtée. Amos a alors rangé son journal, s'est levé, m'a prise par les épaules et m'a embrassée. Il était si lent, si décidé. J'aurais pu l'arrêter à n'importe quel moment. Mais je n'en ai rien fait. Sa bouche était plus douce que celle de Saul. Ses mains, plus chaudes. Il n'avait pas l'intensité farouche de Saul, mais il me faisait voir que tout était plus simple que je ne le pensais.

Ma vie n'était que rêves. Plus aucune réalité. Maman tombait dans des états de stupeur d'où l'on ne pouvait pas la sortir. Les enfants ressemblaient à de petits dessins falots d'eux-mêmes. Mes clients entraient et sortaient, bizarrement parés de boas en plume, de chapeaux hauts-de-forme et de médailles militaires. Saul ne parlait plus et, quand je me réveillais la nuit, je le trouvais souvent assis au bord du lit, étrangement calme. Il m'observait.

Amos me rencontrait dans les pièces vides, dans le grenier humide, au détour d'un escalier inutilisé. On pouvait nous surprendre à n'importe quel moment. Nous faisions donc très attention pour l'instant. Sans bouger, il parvenait à m'attirer vers lui. C'était la fin de l'été. Sa peau avait une lueur cuivrée et polie. Son visage était lisse, l'air bien nourri. Quand il me soulevait dans ses bras, j'avais l'impression d'abandonner tous mes soucis par terre, comme de gigantesques chaussures de béton.

Je l'aimais de ne pas être Saul, je pense. Ou d'être un Saul plus jeune, plus heureux. Il ne portait pas le poids des mauvaises actions passées, des dettes antérieures. Voilà pourquoi je l'aimais.

« Quand tout sera fini avec ta mère, je t'emmènerai avec moi, disait-il. Je comprends que tu ne puisses pas partir, à l'heure actuelle. »

En fait, il ne comprenait pas. Je serais partie. Je voulais partir, me défaire de tous mes vieux complexes, recommencer à zéro. Mais j'essayais de rester fidèle à l'image qu'il se faisait de moi, et hochais la tête en conséquence.

« Nous dévalerons la rue ensemble, vers une ville où nous n'avons jamais été, disait-il. Les gens me demanderont : " Mais où l'avez-vous *trouvée ?* Comment l'avez-vous *eue ?* — Elle dormait, leur répondrai-je. Elle m'attendait. Mon frère me la gardait ". »

Nous nous sommes dévisagés.

Nous n'étions cruels ni l'un ni l'autre. Nous n'étions pas malveillants. Pourquoi tirions-nous tant de plaisir de ce jeu ? Ma perversité me donnait des ailes, me rendait allègre. Quand je passais devant une glace, j'étais accompagnée par quelqu'un de beau : chevelure illuminée, regard brillant de complots et d'intrigues, robe bohémienne — note colorée dans le crépuscule. Quand nous nous rencontrions en public, Amos et moi, nos mains se touchaient, s'agrippaient, glissaient puis se séparaient tandis que nous poursuivions notre chemin, séparément, le visage vide, avec la satisfaction méchante du voleur.

J'ai photographié Miss Feather, enveloppée dans une cape d'opéra en velours noir. Elle tenait un pistolet d'argent à la main. C'était en fait un briquet de table. « Ça sera pour ma petite-nièce La Rue qui ne vient jamais me voir, a-t-elle dit. Tires-en plusieurs clichés, s'il te plaît. »

— Très bien.

— Pour mes autres petites-nièces qui ne viennent jamais me voir. Elles non plus.

— Elles seront prêtes demain. »

Il faisait nuit. J'étais fatiguée. Maman s'était assoupie. J'essayais de me concentrer sur mon travail mais je n'y voyais presque pas pour mettre l'appareil au point. Tout se brouillait devant mes yeux. « Je crois que je vais aller me coucher, ai-je dit à Miss Feather.

— Non, attends, je t'en prie.

— J'ai besoin de dormir un peu.

— Mais Saul ? Je veux dire..., a ajouté

Miss Feather. Saul ne semble pas être lui-même, ces derniers temps.

— Qui *l'est* ? »

Elle a porté une main à sa gorge, a enlevé sa cape et s'est jetée sur moi. Une femme minuscule, nerveuse, qui brandissait un revolver en argent sous mon nez. « Écoute-moi, s'il te plaît. Ça fait long-temps que j'avais envie de te le dire : c'est ton mari. Pourquoi ne prendrais-tu pas quelques jours de vacances avec lui ? Je pourrais rester avec les enfants.

— Des *vacances,* Miss Feather ! J'ai déjà le sentiment d'en prendre dès que je peux m'évader de la chambre de maman.

— Mais... ma chérie...

— Merci quand même. »

Je suis montée, j'ai enlevé mes chaussures et je me suis effondrée sur le bord du lit. Saul n'était pas là. Il avait pris l'habitude de faire de longues promenades dans l'obscurité. J'étais seule. Je me sentais libre de glisser la main dans la poche de ma jupe et d'en sortir la photo de mon double. Il m'a rendu mon sourire, insouciant et téméraire. Mais mes yeux étaient bien trop fatigués pour le distin-guer vraiment. J'avais l'impression qu'il m'était parvenu en morceaux et que je n'arrivais plus à le reconstituer.

Qu'es-tu finalement devenue ? Quelle espèce d'adulte es-tu, maintenant ?

Fin décembre, ils ont emmené maman à l'hôpital. J'avais, jusqu'au bout, espéré éviter ça, mais le Dr Porter a décrété que je commençais à avoir l'air bizarre. De plus, a-t-il ajouté, il se pourrait qu'elle ne s'en rende même pas compte. Elle n'était presque plus lucide. Ils l'ont accrochée et suspendue à toute une série de poids tenseurs et de poulies. Elle reposait, silencieuse, les yeux hermétiquement clos. Je me suis imaginée qu'elle le faisait exprès — elle ne dormait pas, n'était pas dans le coma, mais me rejetait en étreignant son monstre secret et griffu. J'en étais jalouse. Les infirmières m'ont dit de rentrer chez moi, mais je suis restée. Je me suis agrippée avec entêtement aux accoudoirs de mon fauteuil.

Amos m'a apporté un *Big Mac* — l'odeur merveilleuse de la vie quotidienne. Comme je ne sortais pas de la chambre avec lui, il a déposé le sandwich sur la table, près de moi, et regagné le couloir sans un mot. Ses mocassins crissaient légèrement. Puis Julian est entré à son tour — énervé et fantasque, habillé comme s'il allait passer la nuit aux courses. Il m'a tendu un mot de Linus : *Ne peux pas pénétrer dans un hôpital. N'y arrive pas. Emmène les enfants au Roi de la pizza. C'est le message de sympathie que je t'adresse.*

J'ai remercié Julian. Et il est ressorti aussitôt en dansant.

Saul a fait son apparition, s'est arrêté sur le seuil, a observé la pièce puis est entré. Il s'est installé dans le fauteuil voisin du mien, a tripoté ses genoux recouverts de tissu noir. Sa tête est tombée gauchement en avant. « As-tu mangé ? a-t-il murmuré.

— Oui. »

Le *Big Mac* était intact sur la table. L'odeur avait suffi pour me rassasier.

« Comment va-t-elle ?

— Toujours pareil. Pas la peine de murmurer. »

Il s'est éclairci la gorge, a posé sa Bible, a sorti ses lunettes et les a nettoyées avec sa cravate. Puis il les a mises sur son nez et a ouvert sa Bible. J'ai reporté mon attention sur maman. Elle me faisait penser à un ballon dégonflé. Toutes ces poulies permettaient de la retenir au sol. Sans elles, elle se serait élevée, calmement, régulièrement, et se serait envolée par la fenêtre.

J'ai fait un petit bruit sec. J'ai jeté un coup d'œil sur Saul, en espérant qu'il n'avait rien remarqué. Il ne regardait pas sa Bible, mais fixait quelque chose, droit devant lui. Son visage était triste et sombre.

« Saul ? »

Ses yeux se sont posés sur moi.

« Tu vas bien ?

— Je passe ma vie au chevet des mourants. Ça m'arrive plus souvent qu'aux autres pasteurs.

— Tu sembles en voir beaucoup, en effet.

— Peut-être est-ce parce que je ne leur suis pas utile.

— Vraiment ?

— Je ne sais pas quoi leur dire. Et je n'aime pas les mourants.

— Peu importe.

— Je me dis parfois qu'on nous donne à tous les mêmes leçons à apprendre, exactement les mêmes expériences, jusqu'à ce qu'elles nous rentrent dans la tête, jusqu'à ce que nous les sachions par cœur. Les choses n'arrêtent pas de tourner en rond autour de nous. »

J'ai pensé à un manège avec de petits chevaux pommelés. Ça me semblait rassurant. Mais Saul a refermé sa Bible et s'est penché vers moi en me regardant droit dans les yeux. « Jusqu'à ce que ça nous rentre dans la tête, a-t-il ajouté. Pardonne, règle tes comptes, ou fais le bon choix. Quelle que soit la faute commise la première fois.

— C'est peut-être vrai.

239

— Je n'arrête pas de me dire ça.

— Je vois. »

Il me mettait mal à l'aise. Peut-être s'en est-il rendu compte, car il s'est brusquement détendu et s'est enfoncé dans son fauteuil. « Voilà ce que je voulais te dire.

— Je vois », ai-je répondu encore une fois.

« Tu rentres à la maison avec moi, Charlotte ?

— Je ne peux pas.

— Tu sais qu'elle ne se réveillera pas. Tu as entendu ce qu'a dit le Dr Porter ?

— Saul, je ne peux pas. Pars ! »

Et il est parti au bout d'un moment. Le bruit qu'il a fait en se levant m'a profondément agacée. J'ai attendu, le visage tourné de côté, me demandant pourquoi il s'arrêtait si longuement sur le pas de la porte. Mais il a fini par partir.

Alors, j'ai eu ma mère pour moi toute seule. Car je ne pouvais pas encore me défaire d'elle. Elle représentait pour moi un problème de mathématiques insoluble sur lequel je m'échinais, je m'acharnais, je m'énervais et n'arrêtais pas de maudire. Elle m'avait usée, épuisée. Et elle mourait maintenant sans répondre aux questions importantes, sans me dire une seule des vérités qui importaient. Rien qu'une masse sur un lit, opaque, intacte. J'étais furieuse.

Vers minuit, elle a dit : « J'ai un poids énorme sur les pieds, Charlotte. »

Je me suis penchée en avant. Dans la lueur nocturne, bleuâtre, je pouvais distinguer ses petits yeux ahuris. « Maman ?

— Qu'y a-t-il sur mes pieds ? » m'a-t-elle demandé. Sa voix était flétrie, fêlée. « Et mes bras ! Ils sont attachés tous les deux à quelque chose. Que m'est-il arrivé ?

— Tu es à l'hôpital.

— Enlève cette couverture, cette chose qui pèse sur mes pieds, s'il te plaît, Charlotte.

— Maman, tu es vraiment réveillée ?

— Mes *pieds !* »

Je me suis levée et j'ai fouillé les poches de ma jupe, de mon chemisier. J'ai failli perdre mon sang-froid. Heureusement, je me suis souvenue de mon cardigan.

« Maman, regarde ! J'ai allumé la veilleuse à la tête de son lit. Elle a cligné des yeux, les a fermés. Je lui ai mis la photo sous le nez. « Regarde, maman !

— La lumière...

— C'est important. C'est la photo de qui ? »

Sa tête a roulé de droite et de gauche sur l'oreiller. Elle a protesté, mais a quand même entrouvert les yeux. Puis elle les a refermés. « Oh, c'est une photo de moi.

— Qui est-ce, maman ?

— Moi, je viens de te le dire. Moi, quand j'étais jeune. »

J'ai repris la photo et je l'ai étudiée de plus près. « Tu en es sûre ? »

Elle a acquiescé, sans intérêt.

« Mais... je croyais que c'était ta fille. Celle qu'ils ont confondue à l'hôpital.

— L'hôpital ? » Elle a ouvert les yeux à nouveau et les a laissés lentement voyager sur le plafond obscur. « Je n'ai jamais donné mon accord pour que l'on me transporte à l'hôpital. Dans quelque hôpital que ce soit.

— C'est celui où tu as eu ton enfant, maman. Tu te souviens d'avoir eu un bébé ?

— Une surprise.

— C'est vrai.

— Comme un cadeau. Une poupée dans sa boîte.

— Eh bien...

— Je ne sais pas comment c'est arrivé. Nous n'avions pourtant jamais fait grand-chose.

— Là n'est pas le problème, maman. Le bébé. Tu pensais qu'il n'était pas à toi.

— Il ? » a-t-elle répété. Elle a semblé retrouver ses esprits. « Ça n'était pas un il. C'était toi, Charlotte. Le bébé, c'était toi.

— Mais tu m'as dit qu'ils s'étaient trompés à l'hôpital.

— Pourquoi aurais-je dit ça ? Oh, tout ça est si... Il y a trop de lumière dans cette chambre. »

J'ai éteint la lumière. « Que les choses soient réglées une bonne fois pour toutes. Tu n'as jamais pensé que j'étais la fille de quelqu'un d'autre ? Cette idée ne t'est jamais venue à l'esprit ?

— Non, non. Tu m'as peut-être mal comprise. Peut-être... Je ne sais pas... » Elle a fermé les yeux. « Je t'en prie, allège-moi les pieds. »

Que pouvais-je encore lui demander ? Je n'en savais rien. J'avais perdu mes points de repères. Oh, je ne mettais pas ma mémoire en doute. J'en étais encore sûre. (Ou presque.) Mais la photo ! Car je me rendais bien compte maintenant que c'était maman. C'était bien elle. Et moi qui avais découvert tant de choses dans les yeux de cette petite fille ! Moi qui avais imaginé une telle complicité entre nous !

« Mes pieds, Charlotte ! »

J'ai glissé la photo dans ma poche et je me suis approchée du lit. J'ai enlevé la couverture. Je l'ai posée sur le dossier d'une chaise. Je suis ensuite retournée vers maman en évitant tubes et poulies, en faisant bien attention à ne pas la bousculer et —

242

plus doucement que je ne l'avais fait de toute ma vie — j'ai posé ma joue contre la sienne.

Elle est morte quelques jours plus tard et a été enterrée à la *Holy Basis Church*. Saul officiait. Le cercueil semblait bizarrement étroit. Peut-être avais-je également inventé son obésité.

Il y a eu du monde aux obsèques de maman parce qu'elle était la belle-mère du pasteur. Personne — dans la congrégation — ne pensait beaucoup de bien de moi. (Je ne venais pas à l'ouvroir ; je ne me comportais pas comme il fallait ; je n'étais de toute façon pas digne de Saul.) Mais ils ont été très gentils tout de même et ont dit ce qu'ils devaient dire. J'ai répondu d'une voix qui semblait sortir d'un endroit voisin de mon oreille droite. Cette mort m'avait prise au moment où je m'y attendais le moins. J'avais perdu quelqu'un qui avait plus d'importance que je ne l'avais pensé.

Après les obsèques, je me suis souciée des autres pendant une longue période. J'ai essayé d'accepter ce que tout le monde m'offrait : le thé de Miss Feather, tasse après tasse ; les petits bouquets de fleurs hivernales du Dr Sisk ; même les prières de Saul qu'il disait en silence pour ne pas m'offenser. Mais je savais qu'il les disait. Je les sentais tournoyer autour de moi. Parfois, quand je veillais Jiggs (il a fait des cauchemars pendant longtemps), Saul se réveillait et venait me chercher. Il restait debout sur le seuil, dans son pyjama en accordéon. « Tu vas bien ? me demandait-il.

— Oui, très bien.

— J'ai pensé que quelque chose n'allait pas.

— Oh, non.

243

— Je me suis réveillé et tu n'étais pas là.

— *Tu* vas bien ?

— Oui, bien sûr.

— N'attrape pas froid. »

Il attendait encore une minute, passait ses doigts dans ses cheveux et regagnait finalement son lit en titubant.

J'ai compris que nous vivions tous dans une espèce de toile traversée de fils d'amour, de désir et d'inquiétude. Linus penchait la tête et tentait de lire nos pensées. Amos faisait résonner ses notes à travers la maison. Selinda allait et venait librement maintenant qu'elle était adolescente, mais ne manquait pas de reprendre contact — aux moments les plus inattendus — pour s'assurer que nous étions toujours là. Julian avait une manie bizarre de laisser sa main sur l'épaule des autres, comme un objet oublié, tout en sifflotant et en regardant ailleurs.

« Je ne vais pas te presser », m'a dit Amos.

Je l'ai regardé.

« Je comprends ce par quoi tu passes. »

Car nous ne nous retrouvions plus dans des chambres vides. Ou, s'il m'y trouvait par hasard et m'y enlaçait, je me sentais seulement attendrie et distraite. J'étais attristée par sa chemise dont j'avais raccommodé les coudes il y avait pas mal de temps — à une époque d'insouciance. Nous nous préoccupions tous les uns des autres, d'une façon telle qu'une tierce personne ne s'en serait peut-être même pas rendu compte.

J'ai donc survécu. J'ai préparé leurs gâteaux ; j'ai lavé leurs vêtements. J'ai nourri leur chien. Un soir, en pénétrant dans mon studio, je suis tombée sur l'odeur riche et réconfortante du travail : produits chimiques et papier glacé ; métal ancien et grinçant de l'appareil de mon père. J'ai allumé les lumières ;

j'ai enlevé l'écriteau FERMÉ, suspendu à la porte. Dix minutes plus tard, Bando est arrivé de la station-service. Il m'a dit qu'il voulait une photo comme celle de Miss Feather : avec la cape et le pistolet en argent. Pouvais-je la prendre ? La cape allait-elle lui aller ? Le revolver était-il vrai ?

« Bien sûr qu'il est vrai. Tu le vois, tu le sens : il est vrai.

— Non,, je veux dire...

— Assieds-toi près du projecteur, s'il te plaît. »

Peu après son départ, j'ai développé les photos. J'étais si heureuse d'être à nouveau occupée. Je suis revenue de la chambre noire avec un tas de clichés humides. Et j'ai vu Amos, sur le seuil. Il était penché et me regardait. « Amos ?

— A nouveau au travail ?

— Oui. C'était seulement Bando. »

J'ai mis les clichés à sécher. Le visage de Bando me regardait, propre et calme, comme quelque chose prisonnier d'un bloc d'ambre. « Ça n'est pas drôle ? ai-je dit. Dans la vie ordinaire, il n'est pas aussi bien que ça. Mais mon père désapprouverait ces photos. Elles ne sont pas vraiment réelles, dirait-il.

— Qu'est-ce que ton père a à voir là-dedans ?

— Eh bien...

— Ce studio est à toi depuis, quoi ? Seize, dix-sept ans, maintenant. Ton père ne l'a pas possédé plus longtemps.

— Oui, mais... » Je me suis tournée et je l'ai regardé.

« C'est vrai. Ce que tu dis est vrai.

— Et tu continues d'être surprise quand quelqu'un te demande de le prendre en photo. Chaque fois, tu dois réfléchir avant de le faire. Une situation

provisoire qui dure depuis dix-sept ans ! Bon
Dieu ! »

Je me suis tout à coup aperçue qu'il était en
colère. Mais je ne savais pas pourquoi. J'ai essuyé
mes mains sur ma jupe et je me suis approchée de
lui. « Amos ?

— Tu ne pars pas avec moi, n'est-ce pas,
Charlotte ?

— Partir... ? »

J'ai compris qu'il n'en était pas question.

« Tu es bien comme tu es. Blanche-Neige et les
quatre nains.

— Non, c'est... quoi ? Non, ça m'a frappé récemment, Amos. Je me suis rendu compte que j'étais
prisonnière des autres, ici. Que j'étais plus liée à
eux que je ne le pensais. Tu ne comprends pas ?
Comment puis-je faire pour lâcher du lest, reprendre ma liberté ?

— Je croyais que c'était à cause de ta mère. Je
croyais que c'était par *devoir*. Je croyais que tu
serais partie sur-le-champ si elle n'avait pas été là.
J'avais tort. Tu es là, libre de partir, mais tu l'as
toujours été en fait, n'est-ce pas ? Tu aurais pu
partir à n'importe quel moment de ta vie mais tu
attendais d'être éjectée, poussée. Passive. Tu es
passive, Charlotte ! Tu restes où tu es. As-tu
seulement jamais eu l'envie de partir ? »

Je ne pensais pas que ma voix allait sortir. Mais
elle y est quand même arrivée. « Mais, bien sûr.

— Alors, j'ai pitié de toi », a-t-il déclaré, mais je
sentais bien qu'il n'éprouvait pas la moindre pitié. Il
m'a regardée de toute sa hauteur, sans courber la
tête. Ses mains dans ses poches étaient des poings
fermés. « Non seulement, tu m'as trompé, mais tu
te trompes toi-même. Tu peux partir, mais tu t'es
laissée enterrer ici, et tu as même aidé les autres à

246

creuser ta tombe. Chaque année, tu te contentes de moins, tu en tolères plus. Tu fais partie de cette espèce qui croit que la tolérance est une vertu. Tu es fière de laisser les autres être ce qu'ils ont choisi d'être : c'est *leur* affaire, dis-tu. Peu importe les pieds sur lesquels ils marchent, même si ce sont les tiens... »

Il s'est interrompu en lisant l'expression de mon visage. Peut-être était-il allé au bout de ce qu'il voulait me dire. Il a sorti un poing de sa poche et s'est frotté la bouche.

« Merci pour l'exemple, a-t-il fini par dire. Je m'en vais avant qu'il ne m'arrive la même chose.

— Amos ? »

Mais il était parti sans une hésitation, sans un regard en arrière. J'ai entendu claquer la porte d'entrée. Je n'ai plus su quoi faire ensuite. Je suis restée là, ahurie. J'ai regardé autour de moi : mon matériel poussiéreux, mes éléments de décor, le mobilier d'Alberta qui n'avait jamais été (je m'en rendais compte à présent) trié et jeté comme Saul me l'avait promis, mais qui s'était au contraire intégré au nôtre, les bâtiments à l'abandon, de l'autre côté de la rue : le Prisunic, le kiosque à journaux, le marchand de vin et spiritueux, Pei Wing le tailleur. Pas un seul foyer dans tout le voisinage, imaginez un peu. Tout le monde était parti s'installer ailleurs et nous avait abandonnés, là, entre les stations Texaco et Amoco.

Je suis restée très longtemps immobile, comme si j'étais en transe. J'ai observé la neige qui se mettait à tomber, si doucement et si verticalement qu'il était au premier abord difficile de dire si la neige tombait ou si la maison s'élevait, flottait imperceptiblement dans la nuit bleue, sans étoiles.

247

Après le départ d'Amos, j'ai connu un regain d'énergie. J'avais des choses à faire. Je me préparais à partir.

J'ai d'abord jeté les vêtements, les livres, les colifichets, les photographies. J'ai transféré des meubles au Prisunic, de l'autre côté de la rue. J'ai donné la chaise de jardin de ma mère à Pei Wing, les plantes au chef de la chorale de Saul, la porcelaine des dimanches à la *Holy Basis*. J'ai jeté les tapis, les rideaux, les napperons. J'ai emballé tous les meubles de poupée dans des cartons que j'ai montés au grenier. Je voulais une maison nue, polie et décolorée comme un crâne. Tel était mon but. Mais je ne sais pas. C'était plus difficile que je ne le pensais. Linus n'arrêtait pas de fabriquer de *nouveaux* meubles de poupée. J'ai emballé ceux-là, également. Le piano ne cessait d'engendrer de nouvelles couches de magazines. J'ai fait venir l'Armée du Salut pour l'enlever. Les objets sortaient des chambres des enfants et se répandaient dans les escaliers. Je les ai renvoyés d'où ils venaient. Étrange, mais personne ne m'a demandé où étaient passés les meubles.

Le living est devenu une caverne lumineuse, tapissée de papier peint. Il ne restait qu'un canapé, deux chaises, une lampe et des carrés blancs à l'emplacement des tableaux. Mais je n'étais toujours pas satisfaite. J'errais à travers les pièces sonores, vêtue d'une jupe grise, étroite, que j'avais sauvée de la poubelle et je regardais, mécontente, Jiggs patiner en chaussettes sur les sols nus.

Puis je me suis débarrassée des êtres. J'ai cessé de répondre au téléphone, de saluer les gens dans la rue, de me faire accoster à l'épicerie. Je sentais mon cœur s'arrêter dès que je voyais une personne de connaissance se diriger vers moi. Je changeais immédiatement de trottoir. Je ne voulais pas être embêtée. Ils dévoraient tous ma vie avec leurs questions, leurs commentaires, leurs ragots, leurs inquiétudes au sujet de ma santé. Ils me tuaient avec leurs réunions de parents d'élèves et leurs ventes de charité. Avant le début de la pièce que jouait Selinda à l'école, ils m'ont ainsi fait perdre vingt minutes. J'ai tripoté pendant ce temps les boutons de mon manteau en me demandant quand est-ce que le rideau allait enfin se lever. Qu'est-ce que j'avais à voir avec Selinda de toute façon ? A ce tarif-là, je n'arriverais jamais à partir.

Ayant quelques difficultés à jeter ce qui se trouvait dans le studio, je l'ai tout bonnement fermé. J'ai fermé les deux portes à clef. Parfois, assise dans le living, j'entendais des gens frapper à la porte et m'appeler : « Madame ? Madame le photographe ? Que se passe-t-il ? Vous ne travaillez plus ? Nous comptions sur vous ! » J'écoutais, mains croisées sur le ventre, surprise du nombre de gens qui comptaient sur mes photos. J'étais surprise par un tas de choses. L'agitation de ma vie était morte, l'eau s'était décantée. Je pouvais enfin voir ce qu'il y avait dedans.

Personne d'autre que moi ne le pouvait. Ma famille m'embêtait, me pourchassait. Ils croyaient tous qu'il me restait encore quelque chose à leur donner. J'ai *essayé* de le leur dire. Je leur ai dit : « A partir d'aujourd'hui, vous devrez vous débrouiller tout seul. » Ils étaient tout simplement interloqués. Ils continuaient de me demander de leur couper les cheveux, de recoudre les boutons de leurs chemises. Saul n'arrêtait pas de relancer ses conversations inutiles. Vraiment, il ne m'avait épousée que parce qu'il m'avait vue collée aux jupes de ma mère. Il savait qu'il ne me viendrait jamais à l'idée de quitter la maison. Lui et ses je-sais-que-tu-m'aimes, lui et ses je-sais-que-tu-ne-me-quitteras-jamais. J'aurais dû m'en douter. « Notre mariage ne va pas fort », lui ai-je dit.

Mais il m'a répondu : « Charlotte, chaque médaille a son revers.

— J'ai besoin de m'inscrire à un cours de solitude.

— Solitude ?

— J'ai besoin d'apprendre à vivre seule, sans rien. J'ai besoin de couvrir de grandes distances. Dans le désert, les Alpes, etc.

— Mais nous n'avons pas de déserts dans la région.

— Je sais.

— Ni les Alpes d'ailleurs.

— Je sais.

— Et la neige ne tombe pas très souvent non plus.

— Saul, tu ne comprends pas ? Je n'ai jamais été nulle part. Jamais. J'habite dans la maison où je suis née, dans la maison où ma *mère* est née. Mes enfants vont à l'école où j'allais et l'un d'entre eux a la même institutrice que moi. Quand je l'avais, elle débutait à peine. Elle était morte de peur et jolie comme un cœur. Aujourd'hui, c'est une vieille fille desséchée et elle renvoie Selinda à la maison sous prétexte qu'elle ne porte pas de soutien-gorge.

— Certainement, a déclaré Saul. Les choses n'arrêtent pas de tourner en rond, de revenir, ne te l'avais-je pas dit ? Toi et moi, nous n'arrêtons pas de tourner en rond, Charlotte, année après année. Nous changeons un tout petit peu, c'est tout. Nous finirons par résoudre les problèmes.

« — Ça n'en vaut pas la peine.

— Pas la peine ?

— Il faut le payer trop cher. »

Il a replié mes mains dans les siennes. Son visage était calme et avait pris son air sermonneur. Il ne savait probablement pas combien il me faisait mal. « Attends un peu, tout ça va passer. Nous avons tous ... Attends un peu. Attends. »

J'ai attendu. Qu'est-ce que j'attendais ? J'avais l'impression de ne pas m'être débarrassée de tout ce dont je voulais me défaire. Il restait encore des choses à jeter.

Jiggs m'a rappelé que j'avais une réunion de parents d'élèves. Il l'a vu sur le calendrier de l'U.N.I.C.E.F. Il avait sept ans maintenant. Il était travailleur, avait le sens de l'organisation et était un orateur-né.

« A huit heures, maman. Et tu mettras ta robe rouge.

— Je ne l'ai plus depuis longtemps. Et je n'ai aucune envie d'aller assister à une réunion.

— C'est marrant. On y sert des gâteaux et c'est notre classe qui a préparé le jus de fruits.

— J'ai passé ma vie à assister aux réunions de parents d'élèves de Clarion. A quoi ça sert ?

— Je ne sais pas, mais je suis sûr que ça sert à quelque chose. » Il a une fois de plus jeté un coup d'œil sur le calendrier. « Le 13, c'est l'anniversaire de Mahomet. Le 5, c'était la journée mondiale de la prière. Tu as aimé la journée mondiale de la prière, maman ?

— Je suis désolée, trésor. Je ne savais même pas qu'elle existait.

— Tu aurais dû regarder le calendrier à l'avance.

— L'idée que je me fais du jour parfait, c'est un

251

carré vide, blanc, sur le calendrier. C'est tout ce que je demande.

— Alors... », a dit Jiggs. Il a ajusté ses lunettes et a laissé courir son doigt sur la page. « Au mois de mars, tu auras trois jours parfaits.

— Trois ? Trois seulement ? »

J'ai regardé sa nuque — concave, satinée. Très lentement, je me suis laissée aller à imaginer sa mère. Elle venait en ville dans un autobus Trailways. Elle portait quelque chose de voyant, un ensemble vulgaire en tissu synthétique. Je l'attendais à l'arrivée. J'avais amené Jiggs avec moi. Je me débarrassais enfin de lui.

Ce matin-là, Linus et Miss Feather étaient allés prêter main-forte au bazar de l'église. J'avais la maison à moi. J'ai envoyé les enfants en classe, j'ai fait le ménage une dernière fois. J'ai rangé tous les objets qui avaient surgi pendant la nuit : chaussettes en boule, devoirs froissés, maison de poupée pas plus grande qu'un morceau de sucre, remplie de meubles microscopiques. (Je n'ai pas cherché à savoir quel genre de meubles. J'avais trop peur de trouver une autre maison de poupée, glissée dans la première.)

Puis j'ai pris un bain et j'ai enfilé ma jupe et un chemisier propre. Le miroir m'a renvoyé l'image de quelqu'un à l'air grave, aux pommettes hautes — image inhabituellement familière. Mes yeux avaient un aspect charbonneux. On aurait pu croire d'après les taches colorées de mes joues que j'avais la fièvre. Je ne l'avais pas. J'avais froid et j'étais lourde.

Le chien sentait quelque chose. Il savait que

j'allais partir. Il n'arrêtait pas de me suivre, de grogner et de frotter sa truffe contre mes mollets. Il m'agaçait. J'ai ouvert la porte du studio et je l'ai précipité à l'intérieur. « Au revoir, Ernest. » Je me suis redressée et j'ai vu la lueur verdâtre qui filtrait par les persiennes... une lumière comme il n'y en a nulle part ailleurs. Oh, je n'ai jamais eu la chance de savoir que j'étais heureuse au moment où je l'étais. J'ai fermé la porte. J'ai traversé à nouveau toute la maison, en touchant le bois abîmé et tacheté des meubles, en écoutant les voix absentes, en respirant l'odeur de la pâte à modeler et des recueils de cantiques. Rien ne me disait que j'allais pouvoir en finir avec tout ça.

Mais une fois que vous agissez, il n'y a plus qu'à vous laisser porter, entraîner. Mon seul espoir était de me faire piéger quelque part. Dans le jardin d'hiver, peut-être. En faisant le tour du téléphone, en attendant les nouvelles qui m'apprendraient que Jiggs avait éternué et qu'on l'avait renvoyé chez lui, plus tôt que prévu. Dans la cuisine, j'ai mis un temps fou pour me préparer une tasse de café instantané. Je me suis versé, l'esprit ailleurs, un bol de céréales. Quelque chose — en plus des céréales — est tombé de la boîte.

Un sac en papier. Je l'ai ramassé dans le bol et je l'ai ouvert.

A l'intérieur, il y avait un badge en fer blanc, sur lequel un personnage de bande dessinée se dirigeait rapidement vers moi. Ses pieds étaient plus grands que le reste de son corps. Et, en bas, était inscrit mon message personnel :

Toujours partir.

15

Nous avons roulé lentement, à la recherche d'une banque ouverte le vendredi soir. Nous avons laissé Perth derrière nous. Nous avons traversé la ville suivante, et une autre encore. Toutes ces localités ressemblaient à des perles enfilées sur un fil. Aucun espace vide entre elles. Mais des déploiements de glaciers, de restaurants de poissons et de drive-ins. Il faisait assez sombre pour que je puisse voir les visages des comédiens, sur les écrans. Mais je ne voyais de Jake et de Mindy que la ligne dorée délimitant les contours de leurs profils respectifs, illuminés de temps à autre par les néons qui défilaient. Mindy scrutait les immeubles, en mordillant sa lèvre inférieure. Jake, avachi sur son siège comme un malade ou quelqu'un de battu, regardait à peine ce qui se passait de l'autre côté de sa vitre.

« Peut-être que les banques ne travaillent pas le vendredi, dans cet État », a dit Mindy.

Jake n'a pas bronché.

« Jake ? »

Il a bougé. « Bien sûr que si, a-t-il répondu.

— Qu'est-ce que tu en sais ? Et si nous continuions de rouler comme ça, Jake ? Et si nous arrivions au bout de la Floride ? On ne devrait pas plutôt s'arrêter, trouver un magasin qui nous encaisserait ce traveller ?

— Les magasins seraient peut-être capables d'en faire plus et de se souvenir de nous, plus tard.

— Mais je suis fatiguée ! J'ai un torticolis. »

Jake a suivi des yeux un immeuble qui avait tout à fait l'air administratif.

« Si je n'ai pas mangé à six heures, je m'évanouis, s'est exclamée Mindy. Et regarde. Il est presque sept heures, déjà !

— Du calme, Mindy », a dit Jake, l'air absent.

« Tu sais très bien que mon taux de sucre est insuffisant.

— Vraiment ? Tu veux du sucre ?

— *Non,* je ne veux pas de sucre.

— Pas de problème, Mindy, j'en ai sur moi si tu en veux. » Il a fouillé son blouson et m'a donné un coup de coude sans le vouloir. « Regarde. Du sucre Domino ! »

Les sachets étaient fatigués et tristes. Il les a sortis. Une pleine poignée. « Ne viens pas me dire que je ne suis pas prévoyant.

— Jake Simms ! Tu ne veux pas comprendre ? Je n'ai pas besoin de sucre. Ça serait stupide ! »

Il a baissé les bras. Il m'a regardée. « Tu y comprends quelque chose ? m'a t-il demandé.

— Euh...

— Elle a un taux de sucre insuffisant et elle ne veut pas *manger* de sucre.

— Elle doit mieux savoir que nous, je pense. »

Il a secoué la tête en regardant ses sachets. « Je n'y comprends rien, Mindy. Tu n'es pas rationnelle. Pourquoi me cours-tu après tout le temps, si je ne peux jamais te faire plaisir ? Quoi que je fasse.

— *Moi, te* courir après ? s'est exclamée Mindy. Oh, vas-y, râle, grogne, gémis ! Allez, fais-moi

256

porter tous les torts ! Et demande-toi un peu ce que tu m'as dit le 4 juillet dernier. Vas-y, demande-le-toi ! »

Il m'a jeté un coup d'œil rapide, de biais, par-dessous ses cils arrondis.

« Que lui avez-vous dit ? » ai-je demandé.

Il a serré les dents, a fourré à nouveau le sucre dans ses poches.

« Il m'a dit qu'il n'avait jamais trouvé le repos avec personne d'autre que moi, a dit Mindy. Il m'a dit qu'il ne savait pas pourquoi. Qu'il sentait seulement la chose. Comme ça. Nous faisions un pique-nique, ce jour-là. Il n'avait pas beaucoup brillé dans une course de cascadeurs. Je lui ai dit que cette course n'avait pas d'importance. " *Pour moi,* lui ai-je dit, tu seras toujours comme au premier jour — vraiment rapide et chouette, dans ton blouson blanc, style western. " Tu l'as déchiré un peu plus tard lors d'une course près de Washington. Et c'est à ce moment-là qu'il m'a dit ce qu'il m'a dit. Il m'a demandé si je voulais l'épouser.

— J'ai jamais dit ça, s'est écrié Jake.

— Tu as dit qu'il se pourrait que l'éventualité se présente un jour.

— Tu as tout déformé à ton avantage.

— Non, Jake. Crois-moi, je n'ai rien fait de tout ça. C'est toi qui déformes. Tu ne vois pas ce qui te crève les yeux ? Un coup tu me quittes, un coup tu reviens et tu *me* cours après. Et tu me dis : " Mindy, je suis à toi. Tu es tout ce que je possède ! " Tu m'appelles sous ma fenêtre, tu passes en voiture devant chez moi et, la nuit, je vois tes phares glisser sur mon plafond. Tu me téléphones : " Tout le monde m'en veut, Mindy, et les gens n'ont pas l'air si sympas que ça ! Tu ne pourrais pas sortir et venir me tenir compagnie ? "

257

— Tu aimes exagérer.

— Tu as dit que " tu arrivais facilement à imaginer le jour où nous serions mariés ".

— Si je l'ai dit, je ne m'en souviens pas.

— " Au cas où tu tomberais enceinte ou quelque chose de ce genre ", tu l'as dit. »

Il y a eu un silence.

« Tu m'as dit : " A quoi ça me sert de continuer à en voir des vertes et des pas mûres ? Pourquoi est-ce que je n'abandonne pas, tout simplement ? " »

Dans la lueur soudaine d'une entrée de cinéma, le visage de Jake est apparu, maladif et blême. Sous ses yeux, la peau avait une couleur marbrée.

« Ça n'est pas la vérité ? a demandé Mindy.

— Une minute. Je nous ai trouvé une banque. Ralentis. »

Elle a freiné, nous projetant tous les deux en avant, et a tourné dans un parc de stationnement. Jake s'est redressé, une main sur le tableau de bord. « Je voulais demander quelque chose, a-t-il dit lentement, et cette conversation stupide m'a fait perdre le fil. »

Nous avons attendu.

Puis son visage s'est éclairé. « Combien d'argent as-tu sur toi ? a-t-il demandé à Mindy.

— C'est tout ce à quoi tu peux penser ?

— J'en parle au cas où tu voudrais aller t'acheter un hot-dog ou autre chose, pendant que Charlotte et moi, nous passons à la banque.

— Oh ! a-t-elle dit. Je crois que j'en ai suffisamment.

— Tu vois ce petit snack ? On se retrouve là-bas dans cinq minutes. Dix au maximum.

— Vous voulez que je vous commande quelque chose ?

— Non, a dit Jake.

— Vous n'avez pas faim ?

— Si, bien sûr, a-t-il dit, mais ce hot-dog, c'est uniquement pour te caler, Mindy. Une fois que nous aurons encaissé l'argent, nous irons dans un endroit chouette. Pas vrai, Charlotte. Charlotte ?

— Un grill serait sympa, a dit Mindy.

— Un grill, n'importe où. Ça m'est égal, lui a-t-il répondu. Allez, de la place ! »

Mindy a ouvert la portière et elle est sortie. Nous l'avons suivie. Jake a posé un doigt sur le poignet de Mindy. « Ciao.

— Ciao », a-t-elle répondu. Elle s'est éloignée en balançant son sac en forme de cœur.

C'était une nuit chaude, remplie de phalènes. Une odeur de caramel flottait dans l'air. Les rues étaient pratiquement désertes. A notre droite, un cube en briques beiges avec des lettres d'aluminium sur le fronton : SECOND FEDERAL. Nous avons gravi les marches et avons franchi la porte à tambour. Mon visage me tirait dans la fraîcheur soudaine. Des tubes de lumière blanche, froide et dure, nous ont fait cligner des yeux. Le bruit de nos pieds a été étouffé par d'épaisses moquettes. J'ai pris place derrière un homme vêtu d'un costume sombre, type homme d'affaires.

« Pourquoi cette queue-*là* ? m'a demandé Jake. C'est la plus longue. »

Bien sûr, c'était la plus longue. J'allais bientôt m'en aller et je ne voulais pas précipiter les événements. Comme s'il l'avait deviné, Jake s'est approché de moi. « Charlotte, m'a-t-il murmuré à l'oreille.

— Quoi ?

— Je ne veux pas que tu me joues un tour. Compris ? »

J'ai failli éclater de rire. Je me suis demandé ce

qu'il pouvait bien imaginer. Que pouvais-je faire ? Sauter d'un bond du côté de la caissière ? Signer mon chèque d'une manière douteuse ? *Charlotte Emory, otage.* La caissière ne lèverait même pas les yeux. Elle jetterait un œil indifférent sur ma signature, comme si j'avais mentionné quelque situation ou profession normale. Oh, je savais très bien maintenant que je ne devais pas compter sur les autres pour me venir en aide. « Ne soyez pas sot », ai-je répondu. Il a dû voir que je le pensais. Il a reculé. Son blouson de nylon a fait un bruit de feuilles mortes. L'homme au costume sombre est parti, en pliant une liasse de billets.

« J'aimerais encaisser ce traveller », ai-je dit à la caissière. Elle semblait ennuyée. J'ai signé avec un stylo à bille retenu par une chaîne et j'ai glissé mon chèque à travers le guichet. En échange, elle a compté cent dollars en coupures de vingt. Je les ai comptés à mon tour et puis j'ai cédé la place à une dame rousse qui se tamponnait le nez avec un kleenex.

Dans la rue, Jake a dit : « Eh bien, ça n'a pas été trop difficile.

— Non.

— Vraiment rien.

— Non. »

Nous sommes passés devant un chausseur, toutes lumières éteintes maintenant, puis devant un fleuriste où d'horribles fleurs tropicales luisaient dans la vitrine. Nous avons atteint le snack. Un wagon de chemin de fer entouré d'une petite palissade. A travers une grande baie vitrée, sale et graisseuse, nous avons vu Mindy, dos tourné, coudes sur le comptoir. Elle se balançait paresseusement sur son tabouret, ce qui faisait bouillonner sa robe. Nous sommes restés là à la regarder, comme si nous ne savions pas où aller, comme si nous n'avions pas de projets en tête. Jake a tout à coup soupiré bruyamment.

« J'avais l'intention de la quitter », a-t-il déclaré. J'ai acquiescé.

« Mais je ne peux pas, a-t-il poursuivi. Elle est bien, tu sais. Je me sens un peu lié. »

Mindy a brandi son hot-dog. Elle s'est essuyé le visage au creux de son coude qui semblait, d'où nous étions, aussi délicat qu'un pampre.

« Je vais finir par l'épouser, n'est-ce pas, Charlotte ?

— Oui, je crois, Jake.

— Je crois que je suis arrivé au bout. Je suis crevé. N'est-ce pas ? Je vais me lancer dans cette vie qu'elle désire tant. »

Je l'ai regardé.

« Or et avocat, a dit Jake. Rideaux bonne femme. Des gosses. Tu vois où j'en suis arrivé ? Qu'est-ce que tu regardes comme ça ?

— Rien. Ça. »

C'était de l'argent comme il pouvait très bien s'en rendre compte par lui-même. Cinq coupures neuves de vingt dollars. J'ai dû l'obliger à les prendre. Il m'a dit : « Charlotte ?

— Je m'en vais, maintenant », lui ai-je dit.

Sa bouche s'est ouverte.

« Je ne peux pas rester éternellement, Jake. Vous saviez bien qu'il faudrait que je m'en aille, un jour ou l'autre.

— Non, attends. » Sa voix est devenue sèche et rocailleuse.

« Dites au revoir de ma part à Mindy.

— Charlotte, mais... tu vois, je ne peux pas encore me débrouiller sans toi. Tu comprends ? J'ai cette fille enceinte sur les bras et tous ces...

Charlotte, ça ne serait pas si mal que tu restes *avec* nous, tu vois. Tu agis naturellement, comme si tu faisais tout sans effort, comme si c'était ainsi que devaient se passer les choses. Tu as constamment ce petit sourire au bord des lèvres. Je veux dire que nous nous connaissons, Charlotte. Pas vrai ?

— Oui.

— Et cependant ! » Il a brusquement relevé le menton. Il a fourré l'argent dans sa poche et s'est redressé, en se balançant sur ses talons. « Je ne sais pas pourquoi je *mendie*. Tu ne peux pas partir, de toute façon. C'est moi qui ai ton argent.

— Vous pouvez le garder.

— Comment vas-tu faire pour voyager ? Dis-moi un peu...

— Oh, eh bien... je... j'irai à une caisse de secours pour possesseurs de travellers.

— Et ta médaille ?

— Quoi ?

— Je pense que tu veux que je te la rende, non ?

— Quelle médaille ? Oh, le...

— Eh bien, je ne vais pas te la rendre. J'ai l'intention de la garder.

— Très bien. »

J'ai tendu la main. Je ne voulais pas m'en aller comme ça. Mais Jake a refusé de me serrer la main. Le menton toujours en avant, il m'observait par-dessus la surface lisse de ses pommettes. J'ai fini par abandonner.

« Très bien. Au revoir. »

Je me suis détournée et je suis partie dans la direction d'où nous étions venus, là où devait probablement se trouver la gare des autobus.

Puis Jake a crié : « Charlotte ! »

Je me suis arrêtée.

« Je te vise à présent. Tu m'entends ? J'ai ôté le

262

cran de sécurité. Le revolver est chargé. Il est pointé sur ton cœur. »

Mes pas faisaient un bruit régulier, comme la pluie.

« *Charlotte !* »

J'ai poursuivi ma route. J'ai remonté la rue, sentant déjà le trou qui allait s'ouvrir dans mon dos. J'ai dépassé un couple âgé en tenue de soirée. Toujours aucun coup de feu. Je me suis brusquement rendu compte qu'il n'oserait pas, qu'il ne tirerait jamais. J'ai libéré ma respiration, émerveillée devant ma fourberie. J'avais connu tant de dangers, et j'en étais sortie indemne. Aussi douce que de la soie, j'ai contourné un enfant. J'ai dépassé une femme dans une guérite en verre, devant un théâtre. J'ai atteint le bout de la rue et je me suis retournée. Il était là-bas, étonnamment petit au milieu de la chaussée. Il m'observait toujours. Son col était relevé. Ses épaules, voûtées. Ses mains profondément enfoncées dans ses poches. Si l'on y pense, je n'étais finalement pas aussi indemne.

16

La police n'a jamais pu remettre la main sur Jake Simms. D'après ce que je sais, elle a abandonné les recherches. Je lui ai dit de toute façon qu'il était parti pour le Texas.

Il y a quelqu'un de nouveau dans la vieille chambre de maman : un ivrogne du banc des repentis. Il était chanteur d'opéra. Il s'appelle Mr Bentham. Les bons jours, sa voix est magnifique. Et Miss Feather est toujours avec nous, mais le Dr Sisk est parti. Il s'est marié à l'église en juillet dernier et vit maintenant dans un ranch, de l'autre côté de la ville.

Julian travaille au magasin de radio, entre deux rechutes. Selinda continue de flotter, dans et hors de nos vies. Et personne n'est venu chercher Jiggs. Mais Linus s'est arrêté de fabriquer des meubles de poupées. Il est passé aux poupées elles-mêmes : de minuscules personnages en bois, tout à fait articulés. Leurs articulations sont de petits fragments d'épingles. Leurs visages sont dessinés avec une aiguille trempée dans de l'encre. Ils ont des traits, des couleurs et des vêtements différents, mais partagent une expression de surprise, comme s'ils se demandaient comment ils ont fait pour arriver là.

Et je continue de mettre mon appareil au point, de prendre tous ces gens à l'envers, dans les costumes les plus inattendus. Mais j'en suis arrivée à croire que leurs médailles empruntées peuvent dire plus de vérités qu'elles n'en cachent.

Saul pendant ce temps agrippe sa chaire aussi fermement qu'avant, et scrute ses ouailles. Il les voit sans doute à travers une lentille qui lui est propre — tout aussi fidèle, tout aussi défectueuse.

Parfois, quand Saul n'arrive pas à dormir, il tourne la tête sur l'oreiller et me demande si je suis réveillée. Nous avons bien pu connaître des moments difficiles ce jour-là : désaccords, malentendus menant à une séparation invisible et supplémentaire ou à un minuscule et grinçant statu quo. Allongé sur le dos, dans le vieux lit, Saul se demande : Va-t-on s'en sortir ? Va-t-il bien ? Vais-je bien ? Sommes-nous heureux ? Au moins d'une certaine façon, bien limitée ? Nous devrions peut-être faire un voyage, dit-il. N'en avais-je pas envie, avant ?

Mais je lui réponds que non. Je n'en vois pas la nécessité. Nous voyageons depuis des années ; nous avons voyagé toutes nos vies ; nous voyageons encore. Même si nous le voulions, nous ne pourrions pas rester en place. Dors, lui dis-je.

Et il s'endort.

Achevé d'imprimer
en janvier mil neuf cent quatre-vingt-deux
sur les presses de l'Imprimerie Gagné Ltée
Louiseville - Montréal.
Imprimé au Canada